Q&A

共産主義と自由

『資本論』を導きに

志位和夫

新日本出版社

本書には、2024年４月27日に、日本民主青年同盟主催でとりくまれた「学生オンラインゼミ・第３弾」で行った講演「『人間の自由』と社会主義・共産主義――『資本論』を導きに」に、加筆・修正を加えて収録しています。

「学生オンラインゼミ」で講演する志位和夫議長（正面右）と司会の中山歩美民青同盟副委員長（正面左）＝2024年4月27日、党本部

はじめに
（1）

『Q&A共産主義と自由――『資本論』を導きに』という書名を見て、どのようにお感じになるでしょうか。「共産主義」と「自由」とは、まったく相いれない対立物のように思われている方も少なくないかもしれません。

貧富の格差の途方もない拡大、深刻さをます気候危機など、世界の資本主義の矛盾はたいへんに深いものがあります。そうした現実を見て、「資本主義というシステムをこの先も続けていいのか」という真剣な問いかけが起こっています。一方、社会主義・共産主義はというと、「自由がないのでは」という声も少なくないでしょう。

しかし、科学的社会主義の礎（いしずえ）をきずいたカール・マルクス（1818～83）とフリードリヒ・エンゲルス（1820～95）の足跡をたどるならば、彼らが、社会主義・共産主義社会の最大の特徴として、「人間の自由」という言葉を幾度となく繰り返し、それを可能にする社会のあり方を一貫して追求しつづけ、その実現のためにたたかいつづけたことが明らかになってきます。私たち日本共産党がめざす未来社会――社会主義・共産主義社会は、マルクス、エンゲルスの本来の立場を、現代の目で発掘し、まっすぐに引き継ぎ、発展させたものにほかなりません。

「人間の自由」と「社会主義・共産主義」は、文字通り、あらゆる意味において、一体不可分のものであり、それは21世紀の現代においていよいよ豊かな生彩を放っている――これが私が本書で明らかにしたい中心的な内容です。

(2)

本書には若いみなさんを対象に行った一つの講演が収録されています。「人間の自由」と「社会主義・共産主義」というテーマを、いかに多くの方々に理解していただける論理と言葉で語るか。これは私にとって、この数年来の大きな課題でしたが、この難しい課題に挑戦する第一歩となる機会を与えてくれたのが、日本民主青年同盟（以下、民青同盟または民青）のみなさんでした。「このテーマを初心者でもわかるように話してほしい」――民青同盟のみなさんの提案をうけて話し合い、誰にでもとっつきやすく、わかりやすいものにしよう、

「Q&A」方式でこの問題を語ってみよう、「Q&A」は基本的には「一話完結」にして、関心のある設問のどこからでも読んでもらえるものにしようということになりました。

そうした企画が、2024年4月27日、「学生オンラインゼミ・第3弾」(民青同盟主催)という形で実現し、私は、「『人間の自由』と社会主義・共産主義――『資本論』を導きに」と題して、講演を行いました。

「学生オンラインゼミ」は、民青同盟のみなさんが、社会主義・共産主義についての学生からの疑問や、同盟内での学びのなかで出された疑問を35の質問にまとめ、民青同盟の中山歩美副委員長が一つひとつを問いかけ、それに答えるという形で進みました。2回の休憩をはさみ、当日、追加で寄せられた質疑も含めて、3時間余りの講演となりましたが、会場でも、オンラインでご覧いただいた全国でも、集中して熱心に聴いてくれたことは、本当にうれしいことでした。

私が、このとりくみのなかで強く感じたのは、いま日本の青年のなかで、社会主義・共産主義に対する新たな関心の広がりが起こっているということでした。ある大学からは、民青のみなさんが学内につくった「学生オンラインゼミ」の立看板を見て、10人を超える学生が、会場となった日本共産党本部に来て、講演を熱心に聞いてくれました。講演の途中の休み時間には私に真剣な質問をぶつけ、感想文には「共産主義のイメージが百八十度変わった」などの感想がびっしりと綴られていました。私は、多くの青年と私たち日本共産党の理想が響きあう新たな鉱脈を発見した思いでした。

私は、講演を、「人間の自由」をキーワードにすえて、私たちがめざす社会主義・共産主義の本当の姿を、このキーワードを軸にいろいろな角度から明らかにしてみよう――このことに一番の力点を置いて準備しました。

そのさい、その最大の導きとなるのは、カール・マルクスの畢生の大著『資本論』です。この書は、資本主義の徹底的な批判的解明の書であるとともに、それに代わる未来社会――社会主義・共産主義社会の姿を、マルクスが最も豊かに語った書ともなっています。講演は、その全体でマルクスを紹介しながら進めましたが、マルクスの『資本論』や『資本論草稿』など原典そのものは、初めての方には難しい面もあり、私なりに平易な言葉に置き換えて紹介するということを行いました。

講演を本書に収録するさいに、その全体にわたって、加筆・修正を行ったことを、ご了解していただければと思います。

(3)

講演では、「序論」として、「資本主義はほんとうに『人間の自由』を保障しているか？」という問いかけに答えています。「社会主義・共産主義と自由」の問題を考える前に、まず私たちが生きている資本主義社会は、ほんとうの意味での「人間の自由」を保障しているだろうかという問いかけです。

たしかに資本主義の時代が、先行する奴隷制や封建制に比べて、自由、平等、民主主義、人間の個性などが画期的に発展した一時代となったことは間違いありません。同時に、ごく一握りの富裕層とグローバル大企業が、50億人の人々の貧困の拡大のうえに繁栄を謳歌する社会が、果たして「自由」な社会と言えるでしょうか。資本主義は、気候危機という形で、人類の生存の自由という、「自由」の根源的土台を危険にさらしているではないか。講演は、この問いかけへの応答から始め、「社会主義の復権」とも呼ぶべき動きが世界で起こっていることを紹介しています。

（4）

そのうえで、講演では、2024年1月に行われた日本共産党第29回大会の決議を土台にして、三つの角度から、「人間の自由」と社会主義・共産主義についての私たちの展望をのべています。

第一の角度は、「利潤第一主義」からの自由です。講演では、そもそも「利潤第一主義」とはどういうことか、それがもたらす害悪――貧困と格差の拡大、「あとの祭り」の経済と、それを引き起こすメカニズムを明らかにしたうえで、それらの害悪をとりのぞく道が「生産手段の社会化」にあることをのべています。

そのさい講演では、「生産手段の社会化」と「人間の自由」との関係に焦点をあてて、両者が深く結びついていることを明らかにすることに一つの力点を置きました。

――「生産手段の社会化」によって、人間は「利潤第一主義」から自由になり、「自由な生産者が主役」の社会の実現に道が開かれること。

――「利潤第一主義」から自由になることで、人間は貧困と格差から自由になり、「あとの祭り」の経済から自由になり、「社会的理性」が「祭り」（繰り返される恐慌や気候危機など無政府的生産のもたらす攪乱（かくらん））が終わってから働く社会に代わって、はじめから働く社会になること。

――人類史の圧倒的期間は、生産者が生産手段を共有した自由で平等な共同社会であり、社会主義・共産主義社会は、生産者と生産手段の結びつきという当たり前の姿を、高い次元で復活させるという人類史的意義を持つものであること。

――マルクスが、最晩年の1880年に作成した「フランス労働党の綱領前文」では、「人間の自由」をキーワードにして、「生産手段の社会化」をきわめて簡潔な論理で導きだしていること、などです。

(5)

第二の角度は、人間の自由で全面的な発展です。

マルクス、エンゲルスが1848年に執筆した『共産党宣言』は、社会主義・共産主義社会を「各人の自由な発展が、万人の自由な発展のための条件であるような一つの結合社会」と特徴づけています。どうしたらすべての人間に「自由で全面的な発展」が保障されるような社会をつくることができるだろうか。マルクス、エンゲルスはこの主題を生涯にわたって探究し続けました。

私は、講演を準備する過程で、『資本論』(1867~94年)と『資本論草稿集』(1857~63年)を読み返してみて、マルクスの探究の足跡をたどる努力をしてみました。そうしますと、『資本論草稿集』では、「自由に処分できる時間」――人間があらゆる外的な義務から解放されてまったく自由に使える時間――の重要性が繰り返し強調され、「自由に処分できる時間」こそが、人間と社会にとっての「真の富」であり、「人間の自由な発展の場を与える」ものだというきわめて印象深い主張がされています。

資本主義的な搾取によって奪われているものは何だろうか。マルクスはこの問題について考察するなかで、搾取によって奪われているのは単に労働の成果――「モノ」や「カネ」だけではない、労働時間の全体が資本家のもとに置かれることで、本来、人々が持つことができる「自由に処分できる時間」――「自由な時間」が、奪われ、横領されているということを明らかにしていきます。奪われている「自由な時間」を取り戻し、拡大することによって、「人間の自由で全面的な発展」を可能にする、自由な社会をつくろう――こうしたメッセージが『資本論草稿集』から聞こえてきます。

『資本論草稿集』でのマルクスのこうした探究は、『資本論』第3部第7篇第48章「三位一体的定式」のなかに書き込まれた社会主義・共産主義論――人間がまったく自由に使える時間、自分の力をのびのびと自由に伸ばすことそのものが目的となる時間――「真の自由の国」を拡大することにこそ「人間の自由で全面的な発展」の保障がある、「労働時間の短縮が根本条件である」という未来社会論に結実していきます。

日本の現実を見るとき、過労死は依然として深刻であり、「自由に処分できる時間」を十分に持ちたいという願いは切実です。マルクスの解明は、そうした思いを持つ多くの青年・国民しょうか。

の心に響くものとなり、労働時間短縮を求めるたたかいへの大きな励ましとなるのではないで

（6）

第三の角度は、発達した資本主義の国から社会主義・共産主義に進む場合には、「人間の自由」という点でも、はかりしれない豊かな可能性が存在しているということです。

私たちは、２０２０年の日本共産党第28回党大会で一部改定した綱領で、発達した資本主義がつくりだし、未来社会に継承・発展させられる「五つの要素」として、①高度な生産力、②経済を社会的に規制・管理する仕組み、③国民の生活と権利を守るルール、④自由と民主主義の諸制度と国民のたたかいの歴史的経験、⑤人間の豊かな個性をあげました。そして、「発達した資本主義国での社会変革は、社会主義・共産主義への大道である」と書き込みました。

講演では、「五つの要素」のそれぞれについて、未来社会において「継承」させられるだけでなく、「発展」させられるということに新しい力点を置いて論じました。

たとえば「高度な生産力」を継承・発展させるとはどういうことか。講演では、高度な生産力そのものは未来社会をつくるうえでの不可欠な物質的な土台になることを強調したうえで、

「未来社会――社会主義・共産主義社会は、資本主義のもとでつくられた高度な生産力を、ただ引き継ぐのではなく――『利潤第一主義』に突き動かされて『生産のための生産』に突き進んだ資本主義社会のような、生産力の無限の量的発展をめざすものでなく――、新しい質で発展させるものとなるだろう」とのべ、その内容として、①「自由な時間」をもつ人間によって担われる、②労働者の生活向上と調和した質をもつ、③環境保全と両立する質をもつ――などの諸点を強調しました。

「五つの要素」について、それぞれが未来社会において「発展」させられるという角度に力点を置いて論じることで、その多くの場合において、その具体的な内容が、万人が十分な「自由に処分できる時間」をもち、「自由で全面的な発展」が保障されるという未来社会の本質的な特徴と深く関連していることが見えてきたように思います。

講演では、「旧ソ連、中国のような社会にならない保障は？」という問いに対して、指導勢力の誤りとともに、両者に共通する根本の問題として「革命の出発点の遅れ」という問題があったこと、日本の社会主義・共産主義の未来が自由のない社会には決してならないという最大の保障は、発達した資本主義を土台にして社会変革を進めるという事実のなかにあることを強調しました。旧ソ連の歴史的失敗は、マルクス、エンゲルスの未来社会論の輝きを損なわせるものでは決してありません。私たちがとりくんでいる発達した資本主義国での社会変革の事業のなかでこそ、それは真の輝きを放つだろうというのが、私たちの確信です。

(7)

マルクス、エンゲルスが終生にわたって求め続け、私たち日本共産党が綱領で掲げている社会主義・共産主義が、「人間の抑圧」「自由の圧殺」などというものとはまったく正反対のものであり、「人間の自由」があらゆる意味で豊かに開花する社会だという展望を伝えたい。人類は、資本主義という矛盾と苦しみに満ちた社会を乗り越えて、その先の社会に進む力をもっているという希望を伝えたい。これが本書に託した私の強い願いです。

本書が、人類の前途、日本の進路を真剣に考える多くの方々に読まれ、未来への希望を見いだすうえで何らかの参考になれば、私にとって大きな幸せです。

最後に、私に、こうしたテーマで語る素晴らしい機会を提案し、〝共同作業〟にとりくんでくれた民青同盟のみなさんに心からの感謝の気持ちをのべるとともに、この日本の現在と未来にとってかけがえのない青年組織が、さらに大きく発展することを願ってやみません。

2024年5月23日　　志位　和夫

目次

はじめに　3

序論――資本主義はほんとうに「人間の自由」を保障しているか？……21

Q1　「社会主義・共産主義」のイメージが変わるお話になるということですか？　22

Q2　「資本主義」や「社会主義・共産主義」とは経済の話なのですか？　23

Q3　そもそも資本主義はほんとうに自由が保障された社会なのでしょうか？　25

Q4　貧富の格差の拡大はどこまできているのでしょうか？　26

Q5　気候危機がとても不安です。危機はどこまできているのでしょうか？　30

Q6 社会主義への新しい注目と期待を感じます。世界ではどうでしょうか？ 35
Q7 「『資本論』を導きに」が副題ですが、どういうことでしょうか？ 38
Q8 「人間の自由」と未来社会について、日本共産党大会で解明がされました 41

第一の角度――「利潤第一主義」からの自由 …… 43

Q9 そもそも「利潤第一主義」とはどういうことでしょうか？ 43
Q10 「利潤第一主義」は資本主義だけの現象なのですか？ 45
Q11 「利潤第一主義」はどんな害悪をもたらすのですか？ 48
Q12 資本主義のもとでなぜ貧困と格差が拡大していくのでしょうか？ 52
Q13 「あとの祭り」の経済とはどういうことですか？ 56
Q14 どうすれば「利潤第一主義」をとりのぞくことができるのですか？ 62

Q15　「利潤第一主義」から自由になると、人間と社会はどう変わるのですか？　64
Q16　「生産手段の社会化」と「自由」は深く結びついているということですね？　67
Q17　「生産手段の社会化」と「自由」を論じたマルクスの文献を紹介してください　72

第二の角度――「人間の自由で全面的な発展」……77

Q18　ここでの「自由」の意味は、第一の角度の「自由」とは違った意味ですね？　77
Q19　「人間の自由で全面的な発展」とはどういう意味かについて、お話しください　78
Q20　「人間の自由」についてのマルクスの探究の過程をお話しください　81

Q21 搾取によって奪われているのは「カネ」だけでなく「自由な時間」ということですね？ 88
Q22 今の日本で、働く人は「自由に処分できる時間」をどのくらい奪われているのですか？ 92
Q23 『資本論』では、「人間の自由」と未来社会について、どういうまとめ方をしているのですか？ 94
Q24 第一の角度の自由と、第二の角度の自由の関係について、踏み込んでお話しください 100
Q25 「自由に処分できる時間」を広げることは、今の運動の力にもなるのではないですか？ 102
第三の角度――発達した資本主義国での巨大な可能性……105
Q26 「利潤第一主義」がもたらすのは害悪だけなのでしょうか？ 105

Q27 資本主義の発展のもとでつくられ、未来社会に引き継がれるものをお話しください 108
Q28 「高度な生産力」の大切さはわかりますが、生産力って害悪をもたらす面もあるのでは？ 110
Q29 「経済を社会的に規制・管理する仕組み」とはどういうことですか？ 115
Q30 「国民の生活と権利を守るルール」も未来社会に引き継がれていくのですか？ 118
Q31 「自由と民主主義」についてのマルクスの立場、未来社会になったらどうなるのかについてお話しください 120
Q32 人間の豊かな個性と資本主義、社会主義の関係についてお話しください 125
Q33 今のたたかいが未来社会につながっていると言えますね？ 129
Q34 旧ソ連、中国のような社会にならない保障はどこにあるのでしょうか？ 131

Q35　発達した資本主義国から社会主義に進んだ例はあるのですか？　134

当日寄せられた質問から　137

当日の質問1　「生産手段の社会化」と協同組合との関係について知りたい　137
当日の質問2　恐慌を起こさない資本主義がつくられる動きがあると聞きます　139
当日の質問3　社会主義・共産主義に到達するために最も必要なものは何でしょうか？　141

「なぜ」と問いかけ、みんなで学び、成長する青春を　145

序論――資本主義はほんとうに「人間の自由」を保障しているか？

中山歩美民青同盟副委員長　今日のメインスピーカーは、日本共産党議長の志位和夫さんです。よろしくお願いします。

志位和夫日本共産党議長　日本共産党の志位和夫です。今日は楽しんで話したいと思いますので、楽しんでお聞きください。最後までよろしくお願いします。

中山　今日は、ずばり社会主義・共産主義について志位さんに語っていただきます。社会主義・共産主義については、学生や青年との対話のなかで、また民青に入って学ぶなかで、たくさんの「なぜ」「もっと知りたい」ということが出される分野です。今日は活動のなかで出会ってきた声、学びのなかで出てきた声を集めて、民青としてまとめた質問を志位さんにぶつけていきます。全部で35の質問に答えていただきます。企画の最後にメールでの質問に答えていただくコーナーがあります。それではさっそく質問に入っていきたいと思います。

Q1 「社会主義・共産主義」のイメージが変わるお話になるということですが？

「人間の自由」をキーワードにして

中山　今日は、社会主義・共産主義というものについて、イメージが変わるお話をしていただけるということを聞きました。

志位　はい。みなさんのイメージが一変するような話になれば、と思って準備をしました。いま世界でも日本でも、資本主義というシステムのもとで、貧富の格差がひどくなり、気候危機が深刻になるなど、いろいろな矛盾が噴き出し、「資本主義というシステムをこのまま続けていいのか」という議論が起こっています。一方、崩壊してしまった旧ソ連や中国の現状をみて、「社会主義には自由がない」というイメージもあるのではないでしょうか。

中山　そうですね。寄せられますね。

志位　そこで、今日のゼミは「『人間の自由』と社会主義・共産主義――『資本論』を導きに」をテーマにしてお話をしたいと思います。キーワードは「人間の自由」。このキーワードを軸にして、社会主義・共産主義について、みなさんと一緒にトコトン考えてみたいと思います。

中山 キーワードは「人間の自由」ですね。

志位 はい。ここにこだわって、いろいろな角度からお話をしていきます。

Q2 「資本主義」や「社会主義・共産主義」とは経済の話なのですか？

経済のあり方を土台に社会をつかむ

中山 「資本主義」や「社会主義・共産主義」という言葉はよく聞くのですが、これは経済の話なのでしょうか。「民主主義」や「全体主義」とはどう違うのですか。はじめて学ぶ人も多いのでまず整理をしてほしいです。

志位 「資本主義」にしても、「社会主義・共産主義」にしても、今日は経済のあり方を土台にしてお話ししたいと思います。

科学的社会主義の礎をつくったカール・マルクス（1818～83）と、その盟友のフリードリヒ・エンゲルス（1820～95）は、人間社会の土台は、衣・食・住など人間の経済活動にあるという社会の捉え方をしました。社会が、衣・食・住など、人間の生活に必要なモノやサービスの生産をどのようにして行うか、そのなかで人間が互いにどういう関係を結ぶか、それが社会と歴史の発展の「土台」にあると捉えたのです。

その「土台」のうえに、マルクスは「上部構造」と呼んだのですけれども、政治、法律、思想、宗教など、人間のいろいろな意識の形態がある。「土台」と「上部構造」はお互いに作用しあいながら、大局的には「土台」が社会の発展のあり方を制約していく。こういう社会の捉え方を私たちは「史的唯物論」と言っていますが、マルクスは、こうした社会観を発見したんです。

人間社会を経済のあり方を土台にしてつかんでいくというのは、いまでは常識になっている考え方だと思います。どんな教科書を読んでも、人類の歴史を、奴隷制、封建制、資本主義と叙述しているでしょう。これは根本では経済のあり方を言っています。

中山　経済で区分している。

志位　そうです。今日のお話も、まずは経済のあり方を土台にして話していきたいと思います。「民主主義」や「全体主義」というのは、政治の形態の問題です。これは別の話になるのですけれど、経済のあり方とも深くかかわってきますから、そこも視野に入れて今日はお話ししたいと思います。

中山　なるほど。私たちが過ごしている資本主義という経済体制から、あらためて資本主義と社会主義を考えていこうということですね。とても楽しみです。

Q3　そもそも資本主義はほんとうに自由が保障された社会なのでしょうか？

自由の拡大とともに、自由を阻む害悪が

中山　「社会主義・共産主義」の話に入る前に、私たちが生きている資本主義の現状についてお聞きしたいと思います。民青のなかで議論していたら、そもそも「資本主義はほんとうに自由が保障された社会なのか」「実は不自由じゃないの」ということが話題になります。

志位　「資本主義はほんとうに『人間の自由』を保障しているのか」「実は不自由ではないのか」。この問いは、とっても大切だと思います。よく考えてみますと、若いみなさんにとっ

て、いまの社会は、一人ひとりが伸び伸びと「自由」に生きることのできる社会とは程遠いなと思い当たることがたくさんあると、私は思うんですよ。

たしかに資本主義のもとで、「人間の自由」が大きく拡大したことは事実です。高校の世界史でも勉強したと思いますが、1776年、アメリカがイギリスから独立したさいに「独立宣言」が発せられます。つづいて1789年、フランス大革命のさいには「人権宣言」が発せられます。これらの宣言で、自由、平等、民主主義、人権が、高らかにうたわれました。いろいろなジグザグはありますけれども、その後の世界の民衆の運動によって、「人間の自由」が大きく拡大してきたことは、まぎれもない事実です。

ただ同時にいま、資本主義というシステムのもとで「人間の自由」を阻むいろいろな害悪が生まれ、拡大しつつあることもまた事実だと思います。今日はその害悪について、貧困と格差の拡大、深刻化の一途をたどる気候危機——二つの大問題で考えていきたいと思います。

Q4

貧富の格差の拡大はどこまできているのでしょうか?

50億人の犠牲のうえに超富裕層が空前の繁栄を謳歌

中山　どちらも若者がとても関心があるテーマだと思います。さっそく一つ目について聞きたいんですが、貧富の格差の拡大がいま、いろいろなところで話題になります。これはいったいどこまできているんでしょうか？

志位　ものすごいことになっています。世界の格差拡大の実態を熱心に告発している国際ＮＧＯで「オックスファム」という団体が、今年（２０２４年）1月に「不平等会社」と題する「報告書」を出しました。パネルをご覧ください（**パネル１**）。

これは、「オックスファム」の「報告書」から転載させていただいたものですが、この間、超富裕層が空前の富を手にして、貧困層はますます貧しくなったことを次のように告発しています。

「世界で最も裕福な5人の男の資産は、２０２０年以降、2倍以上になった。一方、世界の半分以上の約50億人はますます貧しくなった」

「最も裕福な5人の資産は、２０２０年の４０５０億ドル（約59兆円）から、２０２３年には８６９０億ドル（約１２６兆円）に、１１４％も増えた」

パネル
1
「オックスファム」報告書から①

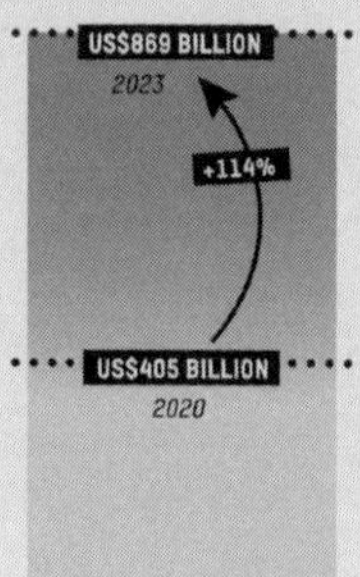

パネル1

126兆円といってもまったくピンときませんよね。

中山　日本の国家予算より大きいですね。

志位　そうですね。「オックスファム」の「報告書」は、「最も裕福な5人がそれぞれ毎日100万ドル（約1億5000万円）を使ったとすると、彼らの総資産を使い果たすまでに476年かかる」と言っています。

「報告書」は、「もうひとつの大きな勝者はグローバル企業」だと告発しています。2021～22年の世界の大企業の利益は、17～20年の平均に比べて、およそ3年で89％も増えたとあります。そして、このグローバル大企業の利益増の最大の恩恵にあずかったのは、超富裕層です。次のパネルを見てください（**パネル2**）。こう書いてあります。

「世界の最も大きい10の企業のうち、7社には億

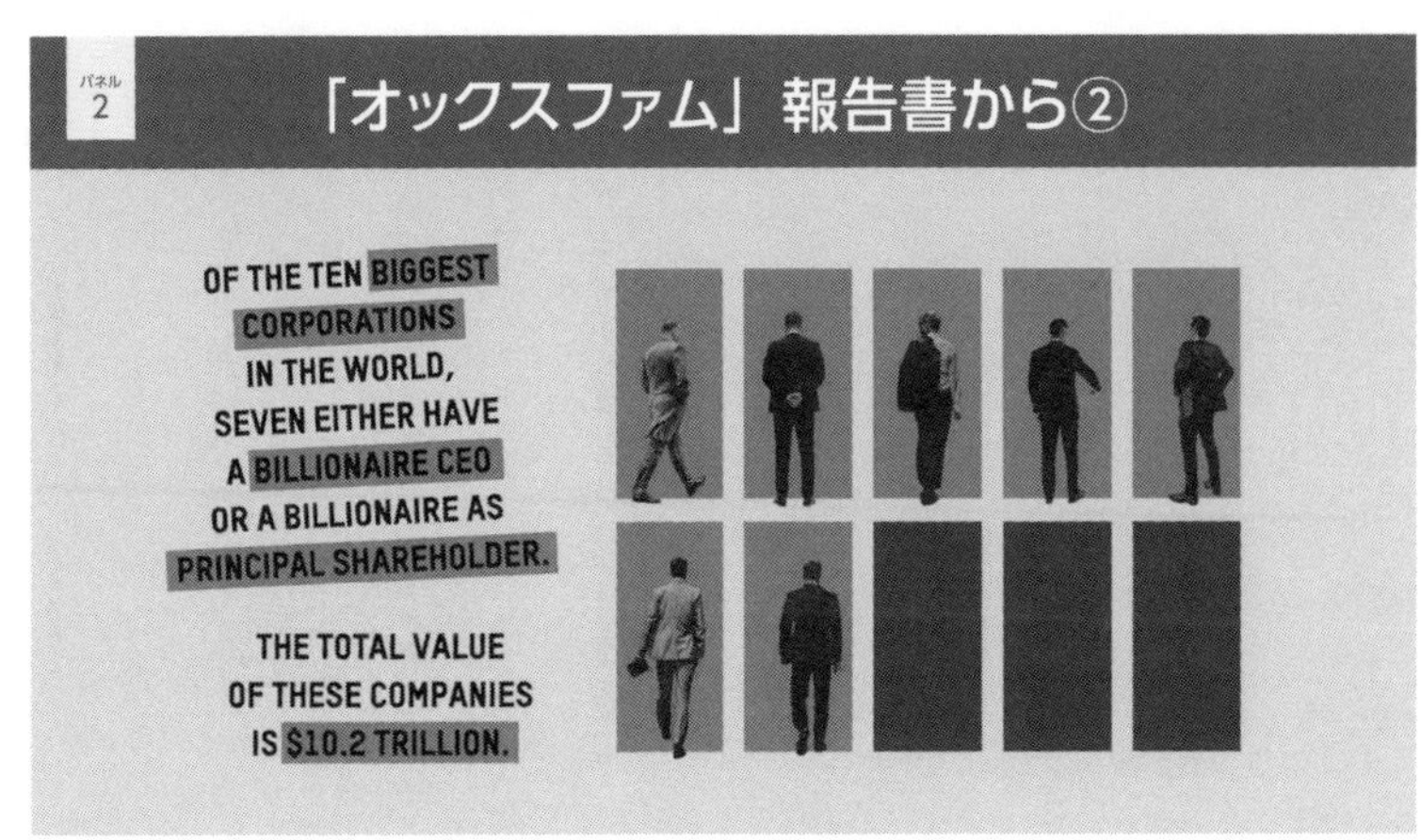

パネル２

万長者のCEOか億万長者が主要株主として名を連ねている。これらの企業の総資産は10兆2000億ドルである」

巨大企業の利益増が、億万長者をますます富裕にしている、という告発です。

これは2020年代に起こったことなのです。2020年代といったら、「世界的な（新型コロナ）パンデミック、戦争、生活費の危機、気候崩壊」（「報告書」）など、世界でも日本でも、多くの人々がかつてない困難な生活を強いられている時期です。そのときに、超富裕層とグローバル大企業は空前の繁栄を謳歌している。

「オックスファム」の「報告書」では、そのことが、労働者の賃金を押し下げ、とりわけ女性に低賃金と不安定雇用を押し付けていると告発しています。「オックスファム」は、多くの女性や少女が無償のケア労働を強いられていることを強く告発しています。

これが資本主義世界の現実です。個々人がいくら努力しても、この現実から逃れられないじゃないですか。これが「人間の自由」が保障されている社会といえるか。社会の大きな変革が求められているのではないでしょうか。これが一つの大問題です。

中山　資本家と労働者という対立はもう古いんじゃないかと言われることもあるんですが、現実にこういった資本家は存在するんですね。

志位　そうです。まさに巨大資本家は存在している。生きた形で。

Q5　気候危機がとても不安です。危機はどこまできているのでしょうか？

ティッピング・ポイント――制御不能な変化に陥る危険性

中山　もう一つの問題――気候危機がとても不安です。日本でも猛暑、大型台風、農業被害など、いろいろな問題が起こっています。危機はいったいどこまで来ているのでしょうか？

志位　昨年、２０２３年は観測史上で最も暑い年になりました。世界気象機関（ＷＭＯ）は、今年（２０２４年）1月、23年の世界の平均気温は、産業革命前に比べて１・45度上昇したと発表しました。気候変動抑制に関する国際的協定――「パリ協定」（２０１５年）では１・５度未満に抑えることを「目指す」と取り決めています。すでにその寸前まできているのです。

科学者たちが警戒していることの一つは、気温上昇がある一点――ティッピング・ポイント（転換点）を超えますと、地球全体の環境が急激に、かつ大規模に、不可逆的な変化に陥り、人間の力ではコントロールできなくなってしまうことです。

ティッピング・ポイントについては、『サイエンス』という科学雑誌が「１・５度を超える温暖化は多数のティッピング・ポイントの引き金になりうる」（２０２２年９月９日号）と題する論文を発表しています。ティッピング・ポイントの引き金になる可能性がある現象として、地球規模の重要な現象と地域規模の重要な現象を、あわせて16あげて、それぞれがティッピング・ポイントに達する気温上昇の値を明らかにしています。パネルをご覧ください（**パネル３**）。

これは16の現象のうち、ティッピング・ポイントを超える危険が差し迫っている四つの現象――「グリーンランド氷床融解」、「西部南極氷床融解」、「低緯度のサンゴ礁消滅」、「北方永久凍土の急速融解」を図にしたものです。どれも、現在の１・45度という気温上昇は、ティッピ

パネル 3　ティッピング・ポイントを超える危険が迫る事象と、負の連鎖の可能性

	「可能性」	「可能性が高い」	負の連鎖の可能性
グリーンランド氷床融解	0.8℃	1.5℃	海洋大循環の停止
西部南極氷床融解	1.0℃	1.5℃	
低緯度のサンゴ礁消滅	1.0℃	1.5℃	大気中 CO_2 濃度上昇
北方永久凍土の急速融解	1.0℃	1.5℃	大気中メタン濃度急増

「サイエンス」から作成

パネル3

ング・ポイントの「可能性」がある0・8度から1・0度を超えてしまっています。「可能性が高い」とされる1・5度に近づいています。これらの現象は、非常に危険な状態に陥っているといわれています。

しかも恐ろしいことがもう一つあって、元環境学会会長の和田武さん（自然エネルギー市民の会代表）がおっしゃっているんですが、こういう現象は、一つが起こったらほかの現象に、ドミノ倒しのように連鎖する可能性があるというのです。

たとえば、グリーンランドの氷床融解がすごい勢いで加速しています。このプロセスが進むとどうなるか。大量の淡水――塩分を含んだ海水より軽い水が海に流れこみます。そうすると地球の海洋全体の大循環に影響を与えて、最終的に循環が止まってしまう可能性がある。そうなると、地球規模の気候の

パネル４

大転換を引き起こしかねないという。

それから、北方永久凍土の急速融解――ロシア、カナダ、アラスカなどの北方凍土の融解が最近、勢いを増していて、その結果、メタンガスが大量に噴き出し始めている。メタンガスは二酸化炭素に比べて約20倍もの温室効果があります。大気中のメタンガスの濃度が急増したら、温暖化が加速するわけです。

さらに、ここでパネルをご覧ください（**パネル４**）。低緯度のサンゴ礁消滅という問題です。世界中の海水温の上昇によって、サンゴの白化と衰退が進行している。気温が２度上昇するとほぼ絶滅すると予測されています。サンゴというのは海水にとけた二酸化炭素を吸い込んで炭酸カルシウムとして固定化する働きをしています。その働きが弱まってしまったら、大気中の二酸化炭素濃度がさらに上昇することになります。

そういう具合に、一つの現象で、ティッピング・ポイントを超えると、次々と負の連鎖が始まっていくことになる。最低限でも1・5度の上昇で止めないと、地球環境の悪化が加速度的に進んで、負の連鎖が始まって、ドミノ倒しのように制御不能な取り返しのつかない事態に陥る危険がある。人類はその一歩手前まできているのです。

これはすべてが、資本主義が引き起こした社会的大災害です。人類の生存という、根本的な「人間の自由」にかかわる問題が深刻に脅かされているのです。私たちは、これは、資本主義の枠内でも最大の知恵と力を総結集して緊急の対応を行うことを強く求めてたたかっていきますが、同時に資本主義というシステムを続けていいのかということが、気候危機では問われていると思うんです。

中山　そうですね。とくにここに集まっている青年にとっては、これから何十年も生きる人生の中でこんなことが起きたら死活問題だと思います。

志位　本当にそうだと思います。若い人たちにとっては、文字通り未来を奪われてしまうということになります。

Q6 社会主義への新しい注目と期待を感じます。世界ではどうでしょうか？

ヨーロッパの中央部でも「社会主義の復権」というべき流れが

中山　二つの問題について話していただいたんですが、民青が若者と対話をするなかで、社会主義について、「自由がないのでは」という声とともに、「社会主義に期待してみたい」「社会主義を学んでみたい」という若者が増えているんです。実はこの会場でも、たくさんの学生が、チラシとか立て看板を見て応募し、参加してくれたんです（**志位**「そうなんですか」）。そうなんです。そして、この問題がきっかけで民青に新しく入ってくれた仲間も広がっています。社会主義への新しい注目や期待を感じるんですが、世界ではどうなっているんでしょうか。

志位　うれしいことです。資本主義の矛盾があまりにひどいなかで、世界でもいろいろな新しい変化が起こっています。２０２２年の秋に、アメリカ、イギリス、カナダ、オーストラリアの４カ国を対象にして行われた世論調査では、「社会主義は理想的な経済体制か」という設問に対し、四つの国のすべてで「同意」が「不同意」を上回りました。

中山　逆転しているんですね。

志位　逆転している。最近のうれしいニュースを、みなさんに紹介したいと思います。オーストリア共産党の躍進が、この間起こって、世界的な注目を集めているんです。オーストリア共産党は、2021年9月、オーストリア第2の都市・グラーツの市議会議員選挙で29％を獲得して市議会第一党となり、市長の座を獲得しました。つづいて、今年（24年）の3月、音楽の都・ザルツブルク――モーツァルトが生まれた都市で、私はモーツァルトが大好きで、1回ザルツブルク音楽祭に行ってみたいと思っているんですが――、ザルツブルクの市議会議員選挙で23％を獲得して第二党となり、市長の決選投票では35歳の共産党員候補が37・5％を獲得し、副市長に選ばれました。

ザルツブルクでは、現政権による不動産投機の優遇政策のもとで、オーストリアの中で最も家賃が高い。他の都市に人口が流れていってしまう事態も起こっているもとで、オーストリア共産党が、「住まいは人権」を一貫して訴えてきたことが躍進につながったということです。

2022年11月、日本共産党の緒方靖夫副委員長を団長とする代表団が、欧州各国を歴訪したさいに、オーストリアも訪問し、オーストリア共産党の幹部と突っ込んだ懇談をして、交流を強化していこうということで一致しました。そこでお話を聞きますと、ずいぶんいろいろな努力をしている。一つ目に、オーストリア共産党は、過去に、ソ連追随の姿勢をとったことで

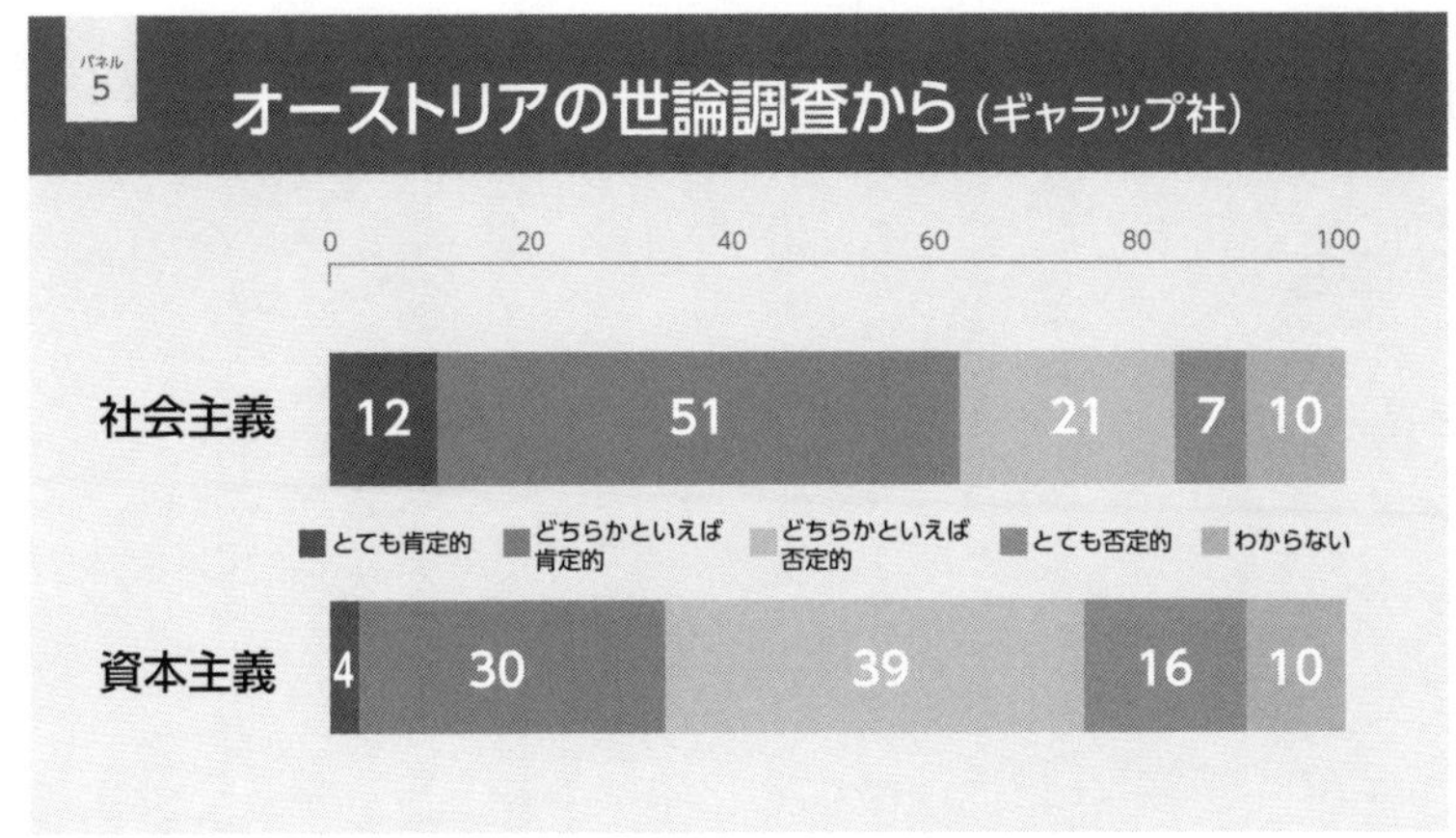

パネル５

国民の支持を失ってしまったという歴史があるのですが、その誤りを克服して自主独立の路線を確立した。二つ目に、党の組織のあり方として、民主と集中という考え方を堅持して、みんなで団結して頑張る党として前進している。三つ目に、オーストリアでもずいぶん反共攻撃が厳しいのですが、そういうなかでも「共産党」という党名は変えない。これを堅持して、共産党だからこそ、未来社会への見通しを持ちながら働く人の利益を守れるんだという観点を前面に押し出しているとのことでした。

同時に、ここでパネルを見てください（**パネル5**）。躍進の根底には、社会主義への期待の広がりがあるのではないか。これはギャラップ社によるオーストリアの調査ですが、社会主義に対して「肯定的」という数字が合わせて63％です。一方、資本主義に対して、「否定的」と答えた数が55％です。

社会主義の方がいいという世論の流れが起こっていることも、共産党の躍進の根底にあるのではないか。

ザルツブルクで新副市長への就任が決まったカイ・ミヒャエル・ダンクルさんが、「しんぶん赤旗」のインタビューに答えてこう言っています。

「利益優先の資本主義が住宅問題によく表れています」、「生活の要である住宅を市場競争に置いてはなりません。資本主義は明白に破綻しています。共産党への支持の広がりは、不当に利益を追求しない、オルタナティブな経済社会を求める声が大きくなっていることの表れだと思います」

「社会主義の世界的復権」というべき流れがヨーロッパの中央部でも起こっています。日本も負けられないというつもりで頑張りたいと思います。

中山　このオンラインゼミにもこんなに応募があったことに私も驚いていて、なぜだろうと思っていたんですけれども、世界の流れとも通じるところがあるかもしれないなと思いました。

Q7 「『資本論』を導きに」が副題ですが、どういうことでしょうか?

資本主義の科学的研究とともに、未来社会論が豊かに語られた書

中山 今日の講演では、「『資本論』を導きに」が副題になっているんですけれども、これはどういうことでしょうか。

志位 カール・マルクス畢生の書――『資本論』というのはどんな本か。今日は、『新版 資本論』（12冊、２０１９～21年、新日本出版社）、『資本論草稿集』（９冊、１９８１～94年、大月書店）、不破哲三さんの『「資本論」全三部を読む 新版』（７冊、２０２１～22年、新日本出版社）を持ってきました。今日は、これらをもとに、いろいろなお話をしていきたいと思います。まず『資本論』というのはどういう本かといいますと、その名が示すように、資本主義という経済システムの徹底的な科学的研究を行った本です。そもそも「資本主義」という言葉は、マルクスが初めて使ったものなんですよ。

中山 今では普通に使っていますね。

志位 そうですね。「資本主義」という言葉は、１８６０～61年ごろに書かれたマルクスの『草稿』のなかに初めて出てきます。マルクスがこの用語を、初めて公式に使ったのは、１８６５年に行った労働者向けの演説――のちに『賃金、価格および利潤』という標題の冊子

としてまとめられた演説のなかででした。「資本主義」という言葉の生みの親はマルクスなんですね。岸田首相は「新しい資本主義」などと言っていますが、生みの親のことを知って使っているのかどうか。

同時に、強調したいのは、マルクスの『資本論』での研究方法というのは、資本主義というシステムを永久に続くサイクルのようにみなして、その一断面を切り取って研究するというものではないんです。資本主義を、人類の社会の発展の一段階ととらえて、この社会が次の発展段階――社会主義・共産主義に交代する必然性をもっていることを、科学的に明らかにした。ここに『資本論』の一番の真髄があるんです。

ですから『資本論』のなかには、社会主義・共産主義とはどういう社会かについてのマルクスの見解が、さまざまな形で豊かに語られています。それは『資本論』の第1巻・第1章「商品」でまず出てくる。さまざまなところで未来社会論が語られ、第3部第7篇・第48章「三位一体的定式」のなかでまとまった形で展開される。そういう具合に、『資本論』の全体に未来社会の叙述があるんです。今日の講演で、「『資本論』を導きに」、社会主義・共産主義を考えようと言っているのは、そういう人類史の未来を展望したすてきな魅力がつまった書物だからです。

今日は、『資本論』の内容などを紹介しながら進めますけれども、『資本論』の原文そのものは初めての方には難しいこともあります。私が読んでいても、どうしてこんなに難しい言葉と言い回しを使うのかなと思うようなところもあるんです。ですから、今日の講義での紹介は、私なりに〝マルクスはだいたいこう言っている〟という平易な言葉に置き換えてお話しすることをお許し願いたいと思います。いわば〝志位和夫版意訳〟で話しますが、今日の話をきっかけに『資本論』そのものの学習に進んでくれたら、こんなにうれしいことはありません。

Q8 「人間の自由」と未来社会について、日本共産党大会で解明がされました

21世紀の日本共産党の〝自由宣言〟を明らかに

中山 「人間の自由」と社会主義・共産主義について、日本共産党が今年（２０２４年）１月に行った第29回党大会決議で新しい突っ込んだ解明がありました。

志位 私たちは、今度の大会決議での未来社会の解明について、「21世紀の日本共産党の〝自由宣言〟」と呼んでいます。

パネル
6

21世紀の日本共産党の〝自由宣言〟

1 「利潤第一主義」からの自由

2 人間の自由で全面的な発展

3 発達した資本主義国の巨大な可能性

パネル6

私たちのめざす社会主義・共産主義の社会というのは、「人間の自由」があらゆる意味で豊かに保障され、開花する社会になる。「人間の自由」こそ社会主義・共産主義の目的であって、最大の特質だということを、三つの角度から明らかにしました。パネルをご覧ください（パネル6）。

21世紀の日本共産党の〝自由宣言〟
第一の角度――「利潤第一主義」からの自由
第二の角度――人間の自由で全面的な発展
第三の角度――発達した資本主義国の巨大な可能性

ここから先が今日のお話の本論になります。一つひとつについてお話をしていきたいと思います。

第一の角度――「利潤第一主義」からの自由

Q9 そもそも「利潤第一主義」とはどういうことでしょうか？

もうけを増やすことへの限りない衝動が生産の推進力

中山　それではまず第一の角度――「利潤第一主義」からの自由についてお聞きします。そもそも「利潤第一主義」とはどういうことでしょうか？　まずそもそも論からお話しください。

志位　資本主義では、生産は何のために行われるか。マルクスは、『資本論』で、〝資本主義では、資本のもうけを増やすことへの限りない衝動が、生産の推進力――生産の動機となり目的となる〟と繰り返し言っています（④1030ページなど。丸数字は『新版　資本論』の分冊、以下同じ）。私たちはこれを「利潤第一主義」と呼んでいるんです。

パネル7

「資本の魂」(マルクス『資本論』から)

〝資本にはただ一つの衝動があるだけである。労働者をできるだけ働かせて、できるだけもうけを大きくして自分の資本を大きくする衝動だ。これが「資本の魂」であり、吸血鬼のように、労働者から「生きた労働」を吸い出せば吸い出すほど、元気になり、力も強くなっていくのが資本である〟

パネル7

マルクスは『資本論』で「資本の魂」という言葉を使ってそのことを表現しています。これは私の〝意訳〟ですが、パネルをご覧ください（**パネル7**）。

「資本の魂」（マルクス『資本論』から）

〝資本にはただ一つの衝動があるだけである。労働者をできるだけ働かせて、できるだけもうけを大きくして自分の資本を大きくする衝動だ。これが「資本の魂」であり、吸血鬼のように、労働者から「生きた労働」を吸い出せば吸い出すほど、元気になり、力も強くなっていくのが資本である〟（②401ページ）

マルクスは「吸血鬼」という言葉まで使っているのですが、さっき紹介した「オックスファム」の「報告書」の超富裕層のもうけぶりは、「吸血鬼」という言葉がぴったりくるのではないでしょうか。もちろんこれは、超富裕層の人々の個々人の人格を批判しているわけではありません。「資本家」である以上は、そういう「資本の魂」を持たざるを得なくなってしまうということが、マルクスが言ったことなのです。

中山　その人が悪い人だからとか、良い人だからとかいうことではないんですね。衝動に突き動かされているということですね。

志位　ある企業の代表がどんな人格者であっても、資本家としては「資本の魂」をもって行動するということです。「衝動」という言葉が使われていますが、抑えがたい力で突き動かされるということですね。

Q10 「利潤第一主義」は資本主義だけの現象なのですか?

過去の搾取社会と比べても「利潤第一主義」が特別に激烈

中山　「利潤第一主義」は、資本主義だけの現象なのですか?

パネル
8
資本主義では「利潤第一主義」が特別に激烈

1 追求する富は「カネ」の量

2 もうけを市場で競い合う自由競争の社会

3 「生産のための生産」が合言葉

パネル８

志位　ここで人類の歴史に目を向けて考えてみたいと思います。

人類の社会の最初は、原始共同体（原始共産主義）と言われる搾取のない社会が長い間続きました。この社会が崩壊した後に、人類の社会は、奴隷制、封建制、資本主義など、人間が人間を搾取する搾取社会に交代していきます。資本主義の前の搾取社会――奴隷制や封建制でも、支配者が生産者をできるだけこき使って、できるだけ多くの富を得ようとすることでは共通していました。ただ、資本主義社会は、この衝動が、過去の搾取社会に比べて特別に激烈なんです。パネルをご覧ください（**パネル８**）。

資本主義では「利潤第一主義」が特別に激烈

1、追求する富は「カネ」の量

2、もうけを市場で競い合う自由競争の社会
3、「生産のための生産」が合言葉

第一は、追求する富が「カネ」の量だということです。つまり追求する富の内容が違う。過去の搾取社会では、富は「モノ」の豊かさで示されて、「モノ」の豊かさが追求されました。たとえばヨーロッパの絶対王政の時代では、フランスのベルサイユ宮殿など豪華絢爛(けんらん)な宮殿が富の象徴でした。さかのぼって奴隷制の時代でいえば、巨大な王の墓――エジプトのピラミッドや、古代日本の巨大古墳などが富の象徴でした。「モノ」の豊かさで表現される富にはおのずと限度があります。豪華絢爛な宮殿でも、巨大なお墓でも、たくさんはいりません。ベルサイユ宮殿は一つあれば十分で、二つも三つもいらない。ところが、資本主義社会では、追求する富は「カネ」の量です。「カネ」はいくらあっても困りません。多ければ多いほどよい。だからこれを増やそうという衝動には限度がなく、果てしがありません。

第二は、資本主義社会が、資本家同士がもうけを市場で競い合う自由競争の社会だということです。もうけが少ないものは没落し、淘汰(とうた)されてしまいます。それは資本家の生死をかけたたたかいです。だから資本家の意思にかかわりなく、またその資本家が善意なのか悪意なのかにもかかわりなく、競争が強制されます。強制的に競争に追い立てられるのです。ここまでむ

きだしにもうけを競い合う社会は、人類の歴史でも初めてのものでした。

第三に、「生産のための生産」が合言葉だということです（④1030ページ）。資本主義の社会では、富の蓄積というのは、おカネをただため込むというものではありません。おカネは、ただ手元にため込んでいたら、もうけを生んでくれません。資本家は、つぎ込んだ資本がもうけを生んだら、その全部または一部をふたたび生産に投じて、より多くのもうけを獲得しようとします。こうして新たな資本をたえず生産に投じます。こうして「生産のための生産」に突き進め！　これが資本主義の合言葉になります。

これらの点で、「利潤第一主義」がかつてないほど激烈に展開されるのが資本主義です。マルクスはここに、資本主義の一番の根源となる病理を見ました。

中山　カネもうけの衝動が特別に激しいと。

志位　そうです。

Q11 「利潤第一主義」はどんな害悪をもたらすのですか？

「貧困大国・日本」――「貧困が一気に拡大、社会の底が抜けてしまった」

中山　「利潤第一主義」は、具体的にどんな害悪をもたらしているのでしょうか？

志位　大きく言って、二つの害悪を指摘したいと思います。

第一は、貧困と格差の拡大です。

第二は、「あとの祭り」の経済です。ちょっと耳なれないかもしれませんが、これについては後で説明します。

まず貧困と格差の拡大ですが、「利潤第一主義」の矛先が、最も過酷な形で集中するのは働く人――労働者です。それはさまざまな労働苦――貧困と格差の拡大となってあらわれます。さきほど、世界的規模で貧困と格差が途方もなく広がっていることを話しましたが、日本はどうか。次のパネルを見てください（**パネル9**）。

主要先進国の貧困率の最新値を調べてグラフにしてみました。日本の2021年の相対的貧困率は15・4％に達しました。「貧困大国」と言われるアメリカの18・0％には及びませんが、韓国を抜いて、主要先進国・第2位の「貧困大国」となっています。相対的貧困率という

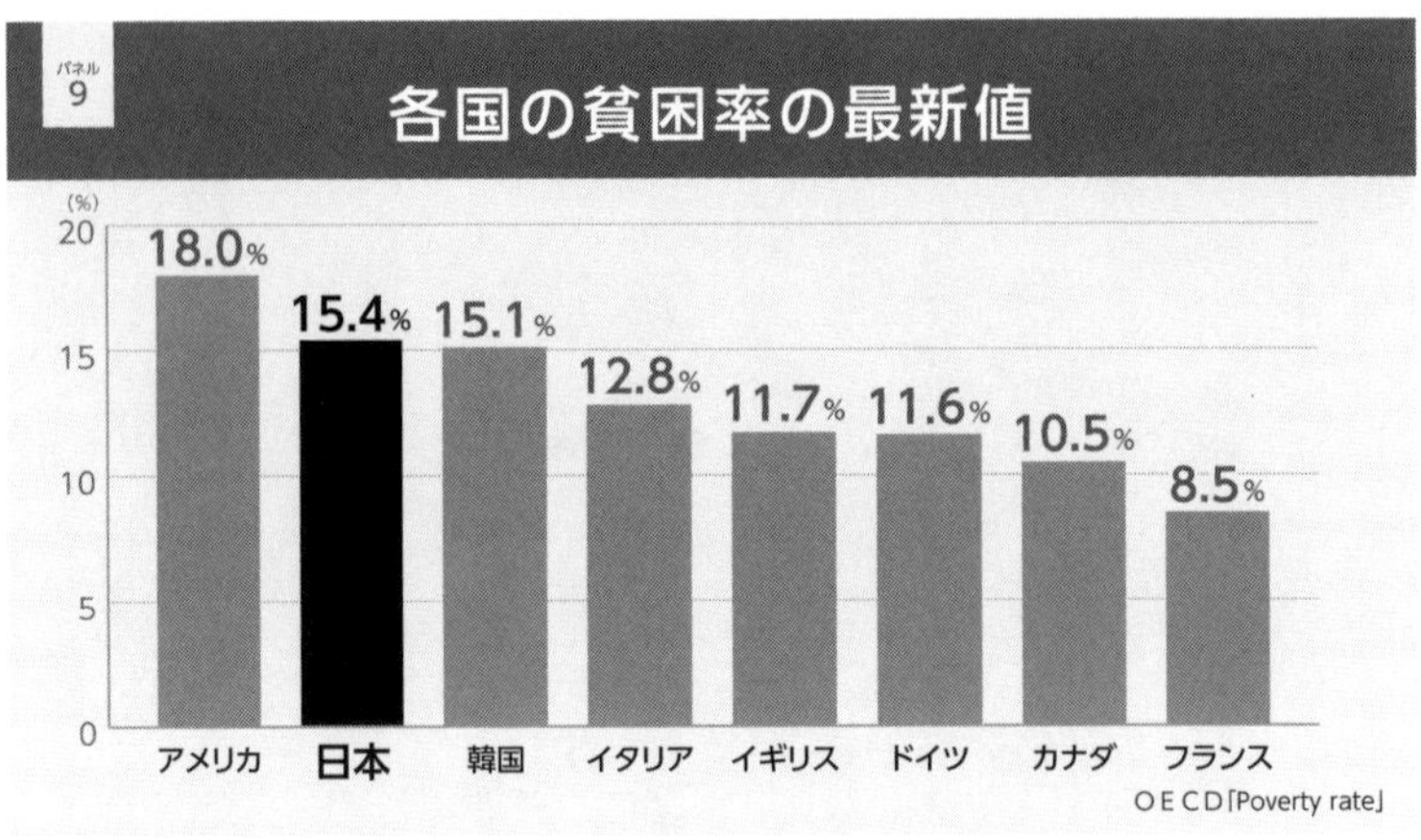

パネル9

のは、年間の等価可処分所得（手取り収入を世帯員の数で調整したもの）の中央値の半分額未満の所得しかない人の割合です。日本では、127万円未満の人が、相対的貧困とされています（21年）。6・5人に1人が貧困状態にあるのです。

「新宿ごはんプラス」という取り組みをご存じでしょうか。

中山　はい。ニュースで見ました。

志位　先日、「毎日」の夕刊（24年4月24日付）にずいぶん大きく出ていました。生活に困っている方を対象に、東京都庁の真下のスペースで、毎週土曜日、無料の食事提供と、暮らしや健康のワンストップ相談会を行っている取り組みです。毎週、この取り組みに参加してきた医師で日本共産党比例東京ブロック予定候補者の一人、谷川智行さんにお話を聞いたところ、最近、次のような特徴があるとのことでした。

「食料配布、相談会に来られる方がコロナの後、爆発的に増えています。コロナ前はホームレス状態の方がほとんどでしたが、現状では、家がある、仕事がある、保険証を持っているが、生活に困窮されている方がほとんどです。貧困が一気に拡大し、社会の底が抜けてしまった印象です」

「若い人では圧倒的に非正規ワーカーが来られます。多くの非正規ワーカーが、会社の都合で使い捨てにされても抗議も抵抗もできず、泣き寝入りの状態に置かれています。雇用破壊が日本社会を根底から壊したと痛感します」

「毎日」の記事では、食料配布が行われる都庁の壁面には毎夜、きらびやかな映像（プロジェクションマッピング）が流れるとのべ、「必要なのは、闇夜にピカピカ光る映像ではなく、セーフティーネットの強化ではないのか」と言っています。

中山　民青同盟も食料支援活動をコロナ禍以降始めています。学生の貧困はとても深刻です。高い学費を自分で払っている、生活費のためにほとんどの人がバイトをし、生活はカツカツです。

志位　打開のためにみんなで力を合わせようと言いたいと思います。

Q12 資本主義のもとでなぜ貧困と格差が拡大していくのでしょうか?

富の蓄積と貧困の蓄積のメカニズム——搾取の鎖を断ち切ろう

中山 資本主義のもとで、格差と貧困がなぜ拡大していくのでしょうか?

志位 マルクスは『資本論』で、まず工場の内部で搾取がどのように強化されていくのかの分析を徹底的に行っています。そのうえで視野を社会全体に広げ、社会全体の規模で格差が拡大していくメカニズムを明らかにしています。

マルクスは『資本論』のなかで、資本が蓄積されていくと、技術革新によって、景気が良いときであっても労働者が「過剰」になる、そして「過剰」になった労働者を職場からたえずはじき出すプロセスが進むことを明らかにしています。経済が発展しているのに、仕事につけない「過剰」労働者がいつも大量に存在するという状態が、資本主義社会では当たり前になっていく。

資本主義が生み出す、現役労働者の数を超える「過剰」な労働者人口のことを、マルクスは

「産業予備軍」と呼び、そうした失業、半失業の労働者の大群を生み出すメカニズムを『資本論』で明らかにしました。資本主義社会では、失業は決してなくなりません。資本主義の国で失業者がゼロの国はありませんよね。

中山　言われてみればありませんね。

志位　ありません。そしてマルクスは、これは職場からはじきだされた労働者にとってはたいへんに不幸なことですが、資本家にとってはこれ以上都合のよい存在はないのだとのべています。つまり、資本家は、「この労働条件で嫌なら結構ですよ。もっと安い賃金でも働きたい人はたくさんいるのですよ。あなたの代わりはいくらでもいる」。こう言えますよね。すなわち「産業予備軍」――大量の失業者の存在は、労使の力関係を、資本家にとってすごく有利にしてしまいます。

マルクスの『資本論』のなかには、次のような有名な一節があります。パネルをご覧ください（**パネル10**）。

富の蓄積と貧困の蓄積（**マルクス『資本論』から**）

〝「産業予備軍」を絶えずつくりだす法則は、ヘファイストスの楔（くさび）がプロメテウスを岩に縛りつけたよりもいっそう固く、労働者を資本に縛りつける。一方の極の富の蓄積は、そ

パネル 10

富の蓄積と貧困の蓄積（マルクス『資本論』から）

〝「産業予備軍」を絶えずつくりだす法則は、ヘファイストスの楔がプロメテウスを岩に縛りつけたよりもいっそう固く、労働者を資本に縛りつける。一方の極の富の蓄積は、その対極における働く人の貧困、労働苦、奴隷状態などの蓄積である〟

パネル10

の対極における働く人の貧困、労働苦、奴隷状態などの蓄積である〟（④1126ページ）

中山　ギリシャ神話からの例えなのですね。

志位　そうです。ここに出てくるプロメテウスとは、ギリシャ神話のなかの巨人です。プロメテウスは、天界の掟（おきて）を破って、鍛冶（かじ）――鉄を鍛えて道具をつくる職人――の神・ヘファイストスの鍛冶場の火を盗んで人間にあたえました。そのためにプロメテウスは最高神ゼウスの怒りを買って、山の頂に鎖で磔（はりつけ）にされました。その鎖を岩に打ち込む楔を鍛えたのが、鍛冶の神・ヘファイストスでしたが、この楔はどんな力でも外せない特別製の楔だった。それぐらいの強靱（きょうじん）さをもって、労働者階級を資本の支配と貧困のもとに置くのだということを、ギリシャ神話を使ってマルクスは告発しました。

中山　とても印象的で、どれだけ逃れられないかが伝わってきますね。

志位　そうですね。そして現在の日本を見ますと、恐ろしいほどこの法則が働いています。低賃金と不安定雇用の非正規ワーカーが、働く人の4割、若者や女性の5割以上に達しています。これはいわば、現役労働者を「予備軍化」したものです。こういう状態は、非正規ワーカー自身を劣悪な条件のもとに置いて苦しめているだけではありません。「あなたの代わりはいくらでもいる」と脅しつけて、正社員を過酷な労働に縛りつけ、働くもの全体の貧困をひどくしている――これがいま働いている仕掛けなのです。

もちろん、ここでマルクスが言いたかったのは、〝貧困の蓄積は資本主義の法則だから我慢せよ〟ということではありません。〝資本主義が、こういう仕組みで貧困と格差を社会と人間に押し付けてくるのであれば、資本主義そのものの変革に進もうではないか。現代におけるへファイストスの楔――資本主義の搾取の鎖を断ち切るたたかいに立ち上がろうではないか〟――これがマルクスがこの告発に込めたメッセージでした。

非正規ワーカーとして働いている人の劣悪な労働条件は、労働者みんなの問題です。正社員として働く人も、非正規ワーカーで頑張っている人も、みんなで団結して貧困と格差を押し付けてくる政治を変え、社会を変えようではありませんか。

Q13 「あとの祭り」の経済とはどういうことですか？

繰り返される恐慌、気候危機＝「物質代謝の大攪乱」

中山　志位さんはさきほど、「利潤第一主義」の第二の害悪として、「あとの祭り」の経済と言いました。これはどういうことでしょうか？

志位　マルクスは『資本論』で、資本主義の社会では、「社会的理性」が、いつも〝祭りが終わってから〟はじめて働くと特徴づけました（⑥500ページ）。これは言葉をかえると「あとの祭り」の経済になるということです。

中山　「あとの祭り」になると。

志位　ええ。資本主義社会では、生産の計画的な管理が可能なのは、個々の企業の内部だけのことです。社会的規模では競争が強制されますから、「生産のための生産」が無政府的に行われる。そのために生産のいろいろな攪乱が起こり、「社会的理性」が働くのは〝祭りが終わってから〟になる。つまり、「あとの祭り」になる。こういう特徴があります。

中山 具体的にお話しください。

志位 たとえば資本主義のもとでは、バブル経済と恐慌が絶えず繰り返され、なくなることはありません。人々が飢えや窮乏に陥るのは、資本主義以前の社会にもありました。しかし、社会に生産物がありあまっているのに、人々には物が不足し貧困に陥るという現象は、資本主義で初めて始まった固有の現象です。

恐慌のもとにあるアメリカの炭鉱労働者のことを書いたあるパンフレットに、次のような物語があったといいます。

「ある炭鉱夫の子ども『こんなに寒いのに、どうしてストーブをたかないの？』

母親『うちには石炭がないんだよ。父ちゃんが失業したから、石炭が買えないのだよ』

子ども『ママ、父ちゃんはなぜ失業したの？』

母親『それはね。石炭が多すぎるからだよ』」

石炭が家にないのは、石炭が多すぎるから。本当に資本主義とは矛盾に満ちたシステムではないでしょうか。資本主義では、周期的にバブル経済――いくらでも売りまくって大もうけをあげる時期があり、そのあとで必ず恐慌がきます。そのことがわかっていても、バブル経済と恐慌を繰り返さざるを得ません。わかっているけどやめられない。バブル経済のさなかの時には、株が永遠にあがり、好景気が永遠に続くとみんな錯覚するんです。ところが、バブルは必

パネル11 人類の歴史における主な恐慌		
1825年（英国）	1890年	1974年
1837～38年（英国）	1900年	1980年
1847年（英国）	1907年	1991年
1857年（ここからは世界恐慌）	1920年	2000年
1866年	1929年（世界大恐慌）	2008年（リーマン・ショック）
1878年	1937年	
1882年	1957年	

パネル11

ず破綻する。その繰り返しをしている。つねに「あとの祭り」が繰り返されるのが資本主義です。

次のパネルをご覧ください（**パネル11**）。人類の歴史で主な恐慌が起こった年を列挙してみました。

人類の歴史における主な恐慌

１８２５年（英国）、１８３７～38年（英国）、１８４７年（英国）、１８５７年（ここからは世界恐慌）、１８６６年、１８７８年、１８８２年、１８９０年、１９００年、１９０７年、１９２０年、１９２９年（世界大恐慌）、１９３７年、１９５７年、１９７４年、１９８０年、１９９１年、２０００年、２００８年（リーマン・ショック）

中山　こんなに起きているんですね。

志位　主なものだけで19回になります。恐慌は最初はイギリスだけの現象でしたが、1857年からは世界恐慌となって、繰り返されています。直近のものは2008年のリーマン・ショックに始まる世界恐慌です。

近年における日本経済では、1980年代後半に途方もないバブル経済が起こりました。どんどん経済が膨れ上がって、株も上がりました。ところが90年代に入ってバブルの崩壊が起こり、そこから「失われた30年」と言われる長期の経済停滞に入りました。

2008年のリーマン・ショックのさいには、派遣労働者がどんどん仕事を失い、東京のど真ん中に「年越し派遣村」が出現しました。一方で大企業の工場は止まっている。他方で、街には労働者が放り出される。両者は一体になれば働けるのに一体になれない。これが恐慌です。そして恐慌は資本主義の不治の病です。なくそうと思ってもなくせない。

中山　このままいくとまた起きてしまうということですか。

志位　資本主義のもとでは治すことは不可能です。ただし、こういうことが言えます。恐慌が起こった後には、「あとの祭り」ではありますが、「社会的理性」が働き、経済はまともな軌道に戻っていくわけです。

この点で、「あとの祭り」の経済がつくりだすものだけれども、「あとの祭り」には決してしてはならない大問題があります。それが冒頭お話しした気候危機です。これぱかりは「あとの祭り」にするわけにはいきません。

マルクスは人間と自然の関係をどう考えたか。マルクスが生きた時代は、18～19世紀初頭に起きた「産業革命」から間もない時代です。ですから、地球的規模の環境破壊は問題にならなかった時代です。それでも『資本論』を読むと、この問題を考える手掛かりになる大事な叙述があるんです。

マルクスは、『資本論』のなかで、人間の生産活動、経済活動を、「自然と人間との物質代謝」と呼びました（①79ページ）。「物質代謝」とは、もともとは生物学の言葉です。すべての生命体は、外界から栄養物質などをとりこんで、体のなかで変化させて、自分に必要な物質につくりかえ、エネルギー源にしたうえで、不要な部分を体外に排出します。これを「物質代謝」と言います。マルクスは、この言葉を使って、人間が労働によって、自然からさまざまな物質をとりこみ、それを加工して自分の生活手段にすることを、生命体になぞらえて「自然と人間との物質代謝」と呼びました。

『資本論』を読んでいて驚くのは、資本主義のもとでの「利潤第一主義」による産業活動によって、自然環境の破壊が起こることを早くも告発していることです。これをマルクスは、「物質代謝」の「攪乱」と表現しています（③881ページ）。マルクスが『資本論』でとりあげているのは、資本主義のもとでの「利潤第一主義」の農業生産です。もうけ第一で自然がどうなろうとお構いなしという農業経営によって、土地の栄養分がなくなって荒れ地になってしまう。そうすると農業そのものが成り立たなくなってしまう。そうした事態を、マルクスは「物質代謝」の「攪乱」と表現しました。これは、現代に恐るべき規模で起こっていることの先取り的な告発ですね。

中山　そうですよね。びっくりしました。

志位　いま起こっている気候危機は、地球的規模での「物質代謝の大攪乱」です。でもこればかりは「あとの祭り」にしてはなりません。人類は、この最悪の社会的災害を、「あとの祭り」になる前に、「社会的理性」を働かせて、解決することができるかどうかが問われています。

資本主義のもとでも、その解決のためにありとあらゆる知恵と力を尽くす必要があります。しかし、その解決ができないのであれば、資本主義には退場してもらって、次の社会に席を譲ってもらわなければなりません。

中山　こればかりは「あとの祭り」にしてはならないと。しっかりかみしめて、私たちも気候危機打開の活動にとりくんでいきたいと思います。

Q14 どうすれば「利潤第一主義」をとりのぞくことができるのですか?

「生産手段の社会化」によって、「自由な生産者が主人公」の社会をつくる

中山　害悪だらけの「利潤第一主義」ですが、どうすればこれをとりのぞくことができるのでしょうか?

志位　生産の動機と目的そのものを変える社会変革が必要になってきます。資本主義のもとでは、生産手段——工場とか機械とか土地とか、生産に必要な手段を資本が握っています。そのことから資本はこれを最大限に使って、自分のもうけを最大化しようとする。それがさきほどお話しした「利潤第一主義」を生んで、いろいろな害悪をつくりだす。どうすればこの問題を解決することができるか。マルクスが出した答えは、「生産手段の社会化」——生産手段を個々の資本家の手から社会全体の手に移すということでした。

中山　なるほど。

志位　そうしましたら、生産の推進力が変わります。生産の目的と動機が変わります。がらりと変わります。つまり個々の資本家がもうけを果てしなく追求する「利潤第一主義」にかわって、生産の目的と動機が「人間と社会の発展」のためということになるじゃないですか。このことによって、人間は、「利潤第一主義」から自由になる。これが私たちの大展望なんです。私たちは、この「生産手段の社会化」を資本主義から社会主義に進むさいの変革の中心に位置づけています。

中山　「社会化」というのは「国有化」ということですか？

志位　「生産手段の社会化」といいますと、「国有化」を連想される方も多いかと思うんですが、私たちは「国有化」が唯一の方法と考えていません。生産手段を社会の手に移すには、いろいろな方法や形態があって、情勢に応じて、いちばんふさわしい方法や形態を、国民多数の合意で選んでいけばいい。その「青写真」をいまから描くことはできないし、描くことは適切でないというのが、マルクスやエンゲルスの考えでした。社会進歩の道を前進するなかで、みんなで見いだしていく。

私が、ここで強調しておきたいのは、建前上は、「生産手段の社会化」がやられていたとしても、肝心の生産者が抑圧されているような社会は、社会主義とは無縁だということなんです。崩壊してしまった旧ソ連社会がそうでした。旧ソ連には「国有化」はあった。「集団化」

もあった。しかし肝心の生産者がどうなっていたか。抑圧され、弾圧され、強制収容所に閉じ込められ、囚人労働が経済の一部に位置づけられていました。こんな社会は、経済の土台の面でも社会主義とは無縁の社会だったと、日本共産党は大会の決定でそういう歴史的判定をやっています。そして、こういう社会を「絶対に再現させてはならない」と、綱領で固く約束しています。

マルクスは『資本論』で、社会主義・共産主義の社会を、「共同的生産手段で労働し自分たちの多くの個人的労働力を自覚的に一つの社会的労働力として支出する自由な人々の連合体」と呼びました（①140ページ）。「自由な生産者が主人公」の社会が、私たちのめざす社会主義・共産主義の社会だということを、うんと強調しておきたいと思います。

中山　「自由な生産者が主人公」というのは、今まで言われてきた社会主義・共産主義像と全然違いますね。

Q15 「利潤第一主義」から自由になると、人間と社会はどう変わるのですか？

貧困と格差から自由になり、「あとの祭り」の経済から自由になる

中山 それでは、「利潤第一主義」から自由になると、人間と社会はどう変わるんでしょうか？

志位 「利潤第一主義」がもたらす二つの害悪という話をしましたでしょう。「利潤第一主義」から自由になると、まさにこの二つの害悪から自由になる。

中山 解放される？

志位 解放される。

第一に、貧困と格差、労働苦から自由になります。生産手段が社会全体のもの――人間の連合体のものになれば、生産物の全体が人間の連合体のものになる。人間は搾取から自由になり、貧困や格差から自由になります。

労働の性格も大きく変わるでしょう。マルクスは、1864年に、労働者の国際団体――国際労働者協会（インタナショナル）が創立されたさいに執筆した宣言のなかで、こう言っています。

「賃労働は……やがては、自発的な手、いそいそとした精神、喜びに満ちた心で勤労に従う

結合的労働に席をゆずって消滅すべき運命にある」

他人の生産手段のもとで、他人のもうけのために、他人の指揮のもとで働く労働では、非人間的な労働苦は避けられません。それにかわって、各人の自由な意思でつくった連合体がもつ生産手段のもとで働くようになれば、未来社会での労働は、本来の人間的性格を回復するだろう。これが私たちの展望です。そして、これはあとで詳しくお話ししますけれども、搾取がなくなるもとで労働時間の抜本的短縮が実現して、人間は長時間労働から自由になります。

第二に、「あとの祭り」の経済から自由になります。資本主義的な生産は、無政府性を特徴としますが、生産手段が自由な生産者の共同体である社会の手にうつった未来社会では、生産の意識的計画的な管理が初めて可能になるでしょう。人間は、恐慌と不況から自由になります。気候危機をもたらすような環境破壊からも自由になります。さきほど「社会的理性」というお話をしましたが、「社会的理性」が「祭り」が終わってからようやく働く社会にかわって、はじめから働く社会になります。

これを考えただけでも、「利潤第一主義」からの自由は、「人間の自由」を素晴らしく拡大するものになるという展望を持つことができるのではないでしょうか。

Q16 「生産手段の社会化」と「自由」は深く結びついているということですね？

人類史の圧倒的期間は、生産手段を共有した自由で平等な共同社会だった

中山　「生産手段の社会化」は「自由」と深く結びついているということですね。このことについてさらにお話しください。

志位　〝「生産手段の社会化」と「自由」〟について、どうお話ししたらいいかと、いろいろと考えてみたんですが、ここで人類の歴史を考えてみたいと思います。

人類の歴史の起源を見ますと、原始共同体といわれる時期が、少なくとも数万年という単位で続きました。どの社会も、最初は、原始共同体から始まったと考えられています。この社会では、共同体に属している生産者が、共同の生産手段を使って、自然に働きかけていました。この社会は、人間による人間の搾取のない、平等な社会でした。この時代の生産力はとても低い水準だったわけですが、その社会はどんなものだったか。

マルクスは最晩年の時期に、ルイス・ヘンリー・モーガン（1818～81）というアメリカの人類学者が書いた『古代社会』（1877年）という著作に出会い、その内容にびっくりして、詳細なノートをつくるんです（『ルイス・ヘンリー・モーガンの著書「古代社会」の摘要』1880～81年）。1883年にマルクスが亡くなったあとにノートが残りました。エンゲルスがこれを発見して、とても重要なノートだということで、これを本にまとめなければと考えて、『家族、私有財産及び国家の起源』（1884年）という著作にまとめました。

モーガンは、アメリカ先住民の研究にとりくみ、現在のニューヨーク州に定住していたイロクォイ族をとくに詳しく研究し、原始共同体がどんな社会だったかを明らかにしていきます。イロクォイ族は、五つの部族に分かれていて、それぞれの部族はいくつかの氏族に分かれており、社会の単位となっていました。成年の男女氏族員の全員からなり、みんなが平等な投票権をもつ民主的な会議――氏族会議が最高の決定機関であり、リーダーの選挙や解任なども、すべて氏族会議によって決められていました。マルクスが遺(のこ)した「モーガン『古代社会』の摘要」から、この社会の特徴を記した部分を紹介します。パネルをご覧ください（**パネル12**）。

マルクス「モーガン『古代社会』の摘要」から（1880～81年）

「イロクォイ族の氏族のすべての成員は人格的に自由であり、相互に自由を守りあう義務

パネル 12 **マルクス「モーガン『古代社会』の摘要」から**（1880～81年）

「イロクォイ族の氏族のすべての成員は人格的に自由であり、相互に自由を守りあう義務を負っていた……。自由、平等、友愛は、かつて定式化されたことはなかったとはいえ、氏族の根本原理であった。……インディアンの性格の普遍的な属性である独立精神と個人的威厳とは、これによって説明される」

パネル12

を負っていた。特権と人的権利においては平等で、サケマや首長たちはなんらの優越も主張しなかった。それは、血族の紐帯で結ばれた兄弟団体であった。自由、平等、友愛は、かつて定式化されたことはなかったとはいえ、氏族の根本原理であった。……インディアンの性格の普遍的な属性である独立精神と個人的威厳とは、これによって説明される」

アメリカ先住民の氏族社会は、無定型・無規律な集団ではなく、共同の規律をもって組織された、自由な人々の秩序ある協同組織だったのです。これが、長い間続いていた原始共同体の一つの姿です。

日本における原始共同体では、1万年以上の期間にわたって続いたと言われる縄文時代の発掘と研究が進んでいます。青森県にある三内丸山遺跡が有名です。数十人から数百人という集団が共同生活を送っていたようです。獲得した食料は、働けない人——老人、子ども、障害者などにも平等に分けられていました。経済は民主的に管理、決定されていました。

縄文時代の遺跡からは、足の骨を折ってしまった老人、難病にかかった若者など、社会的弱者へのケアが行われていたことが人骨で確認されています。そして、この社会は人を殺すための武器がなかった、戦争がない平和な社会だったことも発掘から明らかになっています。

これらが長く続いた人間社会の姿なのです。人類史の圧倒的に長い期間は、生産手段は共同体のみんなのものでした。つまり生産者と結びついていました。そしてそれは、生産力が低い水準ながらも、自由で平等な人間関係の社会でした。ただ一言いっておきたいのは、この社会では、個人は共同体と〝へその緒〟でつながっており、共同体の一部であり、共同体の規則に無条件に従わねばならず、本当の意味で独立した個性とはなりえなかったという面もありました。そういう制約はあるのですけれども、人類史の起源に、こういう自由で平等な共同社会があったというのは、未来への大きな展望にもつながる胸が熱くなる話ではないでしょうか。

中山 無規律な生活をしていたわけではなかったのですね。

志位 そうですね。生産者と生産手段が結びついた、自由で平等な共同社会が、たいへんに長く続いた人間社会の姿でした。

ところが、階級社会になって、これが根本から変わっていきます。階級社会には、奴隷制、封建制、資本主義という主に三つの時代がありますけれども、共通しているのは、生産者と生産手段が切り離されているということです。生産手段は、他人である支配者の持ち物になってしまい、生産者は、他人である支配者のために働くという社会に変わってしまったのが、階級社会でした。その意味で、階級社会は、「自由」ではありえない社会になったのです。

ただ、この階級社会は、長い人類史のなかで、せいぜい数千年です。数万年という単位で続いた原始共同体と比べたら、はるかに短いのです。原始共同体では、生産手段は共同でみんなで持って、生産手段は生産者と結びついていたわけですが、人類の長い歴史でみたら、生産手段を共有する自由な社会こそが、当たり前の社会だと、言えるのではないでしょうか。

そして社会主義・共産主義社会というのは、自由な意志で結合した生産者の集団が、生産手段を所有する社会ですが、これは人類史的に見れば、高い次元で、生産者と生産手段の結びつきという当たり前の姿を回復する社会ということが言えるでしょう。

マルクスは、資本主義社会を人類最後の搾取社会とみなし、こう言っています。

「この社会構成体（資本主義社会のこと――引用者）をもって人類社会の前史は、終わりを告げる」（『経済学批判・序言』１８５９年）

人類社会の「前史」は資本主義でおしまいになる。つまり社会主義・共産主義への変革は、人類史の「本史」への発展となる――これがマルクスの壮大な展望でした。「生産手段の社会化」というのは、長い人類史のなかで、圧倒的な期間を占める生産手段をみんなで持つ社会――自由で平等な共同社会を、高い次元で復活させるという、人類史的意義を持っているということを、私は言いたいと思います。

中山　今の階級社会とか、他の人が生産手段を持っている社会というのを、私たちは、いま当たり前に過ごしているんですけれど、それを人類史でみると、本当にわずかな期間だと知ると、人間の可能性というものを感じられるような気がしました。

志位　その通りだと思います。

Q17 「生産手段の社会化」と「自由」を論じたマルクスの文献を紹介してください

「フランス労働党の綱領前文」では「自由」をキーワードに論じた

中山　「生産手段の社会化」と「人間の自由」との関係を論じたマルクスの文献について、

パネル 13 「フランス労働党の綱領前文」(マルクス、1880年)から

「生産者は生産手段を所有する場合にはじめて、自由でありうる。
生産手段が生産者に所属することのできる形態は、次の二つしかない。

一、個人的形態 ―― この形態は工業の進歩によってますます排除されつつある。

二、集団的形態 ―― この形態の物質的および知的な諸要素は、資本主義社会そのものの発展によってつくりだされてゆく。

フランスの社会主義的労働者はすべての生産手段を集団に返還させることを目標とする」

パネル13

さらにお話しください。

志位 ここで紹介したいのは、マルクスが、最晩年の1880年に作成した「フランス労働党の綱領前文」です。1879年、フランスでマルクス派の社会主義勢力がフランス労働党を創立します。その中心になったジュール・ゲードらが、マルクス、エンゲルスに、綱領をつくるうえでの援助を求めます。1880年、ゲードがマルクス、エンゲルスが住むロンドンにやってきて、エンゲルスの家でマルクスと会い、綱領草案づくりの作業をしました。マルクスは、エンゲルスの目の前で、ゲードに口述筆記させて綱領草案をつくりました。パネルをご覧ください(**パネル13**)。

「フランス労働党の綱領前文」（マルクス、1880年）から

「生産者は生産手段を所有する場合にはじめて、自由でありうること、
生産手段が生産者に所属することのできる形態は、次の二つしかないこと、
一、個人的形態――この形態は……工業の進歩によってますます排除されつつある、
二、集団的形態――この形態の物質的および知的な諸要素は、資本主義社会そのものの発展によってつくりだされてゆく、
……フランスの社会主義的労働者は、経済の部面ではすべての生産手段を集団に返還させることを目標として努力する」

マルクスはまず、「生産者は生産手段を所有する場合にはじめて、自由でありうる」とのべています。生産者が生産手段と切り離されて、他人の生産手段のもとで働かされ、他人の指揮のもとで働かされ、その成果も他人の物になってしまう、そこでは搾取と抑圧が起こり、人間の「自由」はありえない。生産者が生産手段を自分で持つ場合に、人間ははじめて自由でありうる。ここから出発するわけです。

ここから論をおこしていって、「生産手段が生産者に所属することのできる形態」――生産

者が生産手段を持つことができる形態は、論理的に考えて、二つしかないと論を進めていきます。

一つは、個人的形態――個人で小さな生産手段を持つことです。たとえば自分の小さな土地で耕作する農民、あるいは自分のわずかな用具で物をつくる職人、そういう小経営です。しかしこれは、「工業の進歩によってますます排除されつつある」。実際に、そういうプロセスが進んでいく。

もう一つは、集団的形態――集団で生産手段を持つことです。マルクスは、「この形態の物質的および知的な諸要素は、資本主義社会そのものの発展によってつくりだされてゆく」と言っています。どういうことかと言いますと、資本主義が発展して、機械制大工業へと発展していきますと、そうした大きな生産手段は、一人の労働者が動かしているわけではありません。労働者の集団が動かしているわけです。労働者の集団が生産手段を動かしているという点では、生産手段の集団的所有のための物質的な要素はつくりだされつつあるといえる。そういう意味なんです。

こうしてマルクスは、「自由」をキーワードにして、「生産手段を集団に返還させること」、つまり「生産手段の社会化」を、わずか数行の論立てで導きだしています。〝自由を得るためには生産手段を持つことが必要だが、一人では持てないからみんなで持とう〟。これが「生産手段の社会化」だと言っています。ここで言われている「自由」という言葉は、搾取からの自由、抑圧からの自由を意味していると思いますが、もう一つ含意があるように思います。

中山　何でしょう？

志位　次にお話をする「人間の自由で全面的な発展」につながる「自由」です。これも含まれているように思います。マルクスが、「生産手段の社会化」を「自由」をキーワードにして論じたことは、たいへん重要な意味を持っていると思います。ぜひ心に留めておいてほしいなと思います。

第二の角度――「人間の自由で全面的な発展」

Q18 ここでの「自由」の意味は、第一の角度の「自由」とは違った意味ですね？

未来社会における真の自由の輝きは、実はその先にある

中山　つづいて第二の角度――「人間の自由で全面的な発展」についてお聞きします。志位さんは、昨年（２０２３年）11月の民青大会のあいさつで、ここでの「自由」という言葉の意味は、第一の角度の「自由」とは違った意味だと言われました。

志位　第一の角度で使った「自由」――「利潤第一主義」からの自由は、他のものからの害悪を受けないという意味での「自由」です。そういう意味では消極的な自由ともいえるわけです。それに対して、第二の角度での「自由」――「人間の自由で全面的な発展」の「自由」は、

自分の意志を自由に表現することができる、あるいは実現することができるという意味の「自由」です。そういう意味ではより積極的な自由ともいえます。

日本共産党の第29回大会決議が強調しているのは、未来社会――社会主義・共産主義社会における「自由」というのは、「利潤第一主義」からの自由にとどまるものではない。さきほど、「利潤第一主義」からの自由を実現しただけでも、「人間の自由」は素晴らしく豊かに広がるというお話をしました。しかし未来社会における真の自由の輝きは、実はその先にある。すなわち、「人間の自由で全面的な発展」のなかにこそある。本当の魅力は、まだまだこんなものではありませんよ、その先にこそありますよ、という組み立てになっているのです。

Q19 「人間の自由で全面的な発展」とはどういう意味かについて、お話しください

「各人の自由な発展が万人の自由な発展の条件」となる社会を探究しつづけた

パネル
14
マルクス、エンゲルス『共産党宣言』(1848年)から

「各人の自由な発展が万人の自由な発展の条件であるような一つの結合社会」

パネル14

中山　まず、そもそもここで言う「人間の自由で全面的な発展」とはどういう意味かについて、お話しください。

志位　エンゲルスが亡くなる前年の1894年に、イタリアの社会主義者でジュゼッペ・カネパという人がエンゲルスに手紙を書いて、来たるべき社会主義社会の基本理念を簡潔に表現するスローガンを示してくださいと頼みます。

エンゲルスは、カネパに返事を書いて、「未来の新しい時代の精神を数語に要約することはたいへんに難しい」と言いながら、マルクス、エンゲルスが若い時代の1848年に書いた『共産党宣言』の次の一節を紹介しました（**パネル14**）。

マルクス、エンゲルス『共産党宣言』（1848年）から

「各人の自由な発展が万人の自由な発展の条件であるような一つの結合社会」

「各人の自由な発展が万人の自由な発展の条件であるような一つの結合社会」――これが社会主義・共産主義だということです。これはどういうことか。

ここで「各人の自由な発展」という言葉が出てきます。人間というのは誰でも自分の中に素晴らしい可能性を持っている。ある人は芸術家になる可能性を持っている。ある人は科学者になる可能性を持っている。ある人はモノづくりの素晴らしい可能性を持っている。ある人はアスリートになる可能性を持っている。人間は誰でも自分のなかに素晴らしい可能性を持っている。そして、一つではなくいくつもの可能性を持っている。これが私たち科学的社会主義の人間観なのです。

ところが、資本主義のもとでは、そういう素晴らしい可能性を持っていながら、それを実現できる人、伸び伸びと可能性を生かせる人は、一部の人に限られてしまう。もちろん資本主義のもとでも、そういう自分の可能性を発揮して、頑張っている人はたくさんいます。しかし、素晴らしい可能性を持っていながら、埋もれたままになってしまう人が、資本主義社会では少なくないことは事実でしょう。マルクス、エンゲルスはここを変えたいと考えた。どうしたらすべての人間に、「自由で全面的な発展」が保障されるような社会ができるだろうか。マルクス、エンゲルスはこのことを、初期のころから亡くなるまで一貫して追求したのです。

中山　ずっと追求していたんですか？

志位　ずっとと言って間違いないと思います。「人間の自由で全面的な発展」を可能にする社会を追求し続けるんです。

Q20 「人間の自由」についてのマルクスの探究の過程をお話しください

「自由に処分できる時間」こそ、人間と社会にとっての「真の富」

中山　どうしたら「人間の自由で全面的な発展」が得られるか。マルクスの探究の過程をお話しください。

志位　実は、今日のゼミに向けて、『資本論』と『資本論草稿集』を読み返してみて、私なりにいくつか新しく気づいた点もありましたので、今日は少しお話をさせてください。まず、ほんとうに粗々(あらあら)なものなのですが「略年表」をつくったので、これを見ながら聞いてください

パネル15

「人間の自由で全面的な発展」―マルクスの探究の過程

- 1845～46年・『ドイツ・イデオロギー』―分業の廃止
- 1851年・ディルクのパンフレットに出会う―「自由に処分できる時間」
- 1857～63年・『資本論草稿』―「自由に処分できる時間が奪われている」
- 1865年・『賃金、価格および利潤』―「時間は人間の発達の場である」
- 1867年～94年・『資本論』―「真の自由の国」

パネル 15

（パネル15）。

「人間の自由で全面的な発展」――マルクスの探究の過程

1845～46年　『ドイツ・イデオロギー』――分業の廃止

1851年　ディルクのパンフレットに出会う――「自由に処分できる時間」

1857～63年　『資本論草稿』――「自由に処分できる時間が奪われている」

1865年　『賃金、価格および利潤』――「時間は人間の発達の場である」

1867～94年　『資本論』――「真の自由の国」

志位　マルクス、エンゲルスが最初に出した答えは、「社会から分業をなくせばいい」というものでした。

当時、産業革命によって機械制大工業が発展し、労働者は機械による生産の一部に縛り付けられて生涯働かされていました。この分業こそが「悪の根源」だ、分業をなくせば、人間が自由に発展できるようになるだろう。彼らは最初にこう考えた。

マルクス、エンゲルスは初期のころに『ドイツ・イデオロギー』という労作を書きます（1845年～46年）。これは、彼らが生きている間には出版されないで、「鼠どもがかじって批判するまま」（マルクス）にされており、二人が亡くなった後に出版されるのです。『ドイツ・イデオロギー』では、共産主義社会について、「個人個人の独自な自由な発展がけっして空文句ではない社会」という、『共産党宣言』と同じ特徴づけが行われていますが、それを実現するために「分業の廃止」という構想がのべられています。そこにはこんな言葉が出てきます。

「私がまさに好きなように、朝には狩りをし、午後には釣りをし、夕方には牧畜を営み、そして食後には哲学をする」

分業を廃止して、まさに好きなように何でもする人間になる、そういう社会に変えればいい。そうなれば「個人の自由な発展」が可能になるだろう。こうした牧歌的な構想を描くのです。『ドイツ・イデオロギー』は、二人が「史的唯物論」の考え方を初めてまとめたという点で画期的意義をもつ労作でしたが、経済学については本格的に研究する前の段階に書かれたものでした。「分業の廃止」という構想は、間もなく不可能だということがわかってきます。どんな社会になっても分業は必要になります。

つづいて、１８４８年～49年に、ヨーロッパを覆う革命が起こります。マルクス、エンゲルスは、革命に参加するわけですが、革命は敗北に終わり、その後、２人はロンドンに居を移します。

マルクスは、１８５０年ぐらいから、資本主義が当時最も発達していた国、イギリスの首都ロンドンで、経済学の研究を本格化させます。マルクスは当時、世界中の書物が最も集中していた大英博物館に毎日通って、マルクスが座る席が決まっていたそうですけれど、そこで『資本論』の準備となっていく膨大なノートをつくっていきます。その研究の中で、マルクスは万人が十分な「自由に処分できる時間」を得ることこそ社会主義・共産主義社会のカギだということを突き止めていきます。

中山　時間に注目したのですね。

志位　そうです。彼は、「自由に処分できる時間」という言葉をたいへん重視して使っています。その経過について、日本共産党社会科学研究所所長の山口富男さんが詳細な研究を発表しており参照していただければと思います（『経済』２０２４年５～7月号）。１８５１年に、

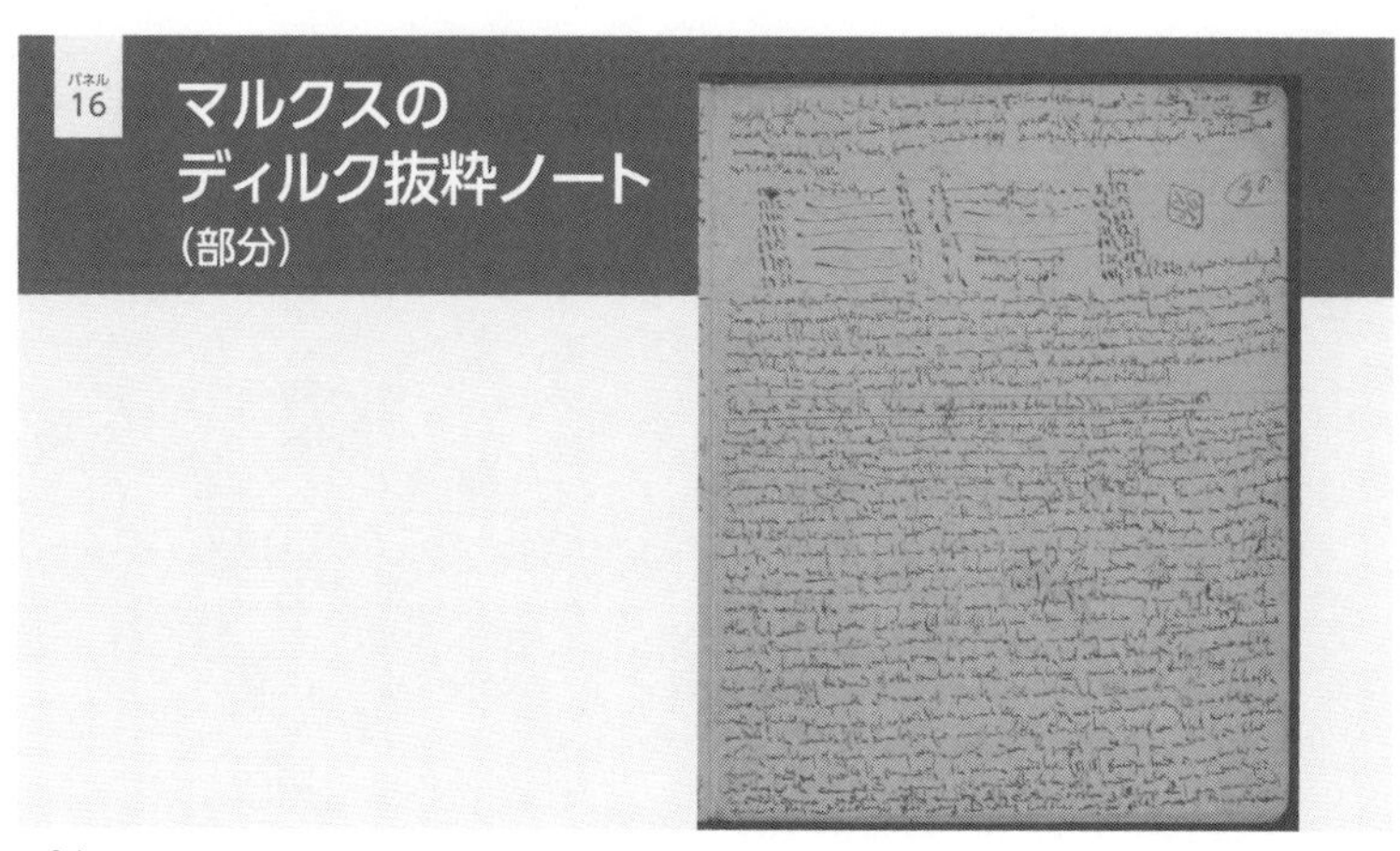

パネル16

マルクスは、大英博物館でイギリスのチャールズ・ウェントワース・ディルクという評論家が匿名で出版していたパンフレットに出会います。このパンフレットは、1日の労働時間を12時間から6時間に短くすることを提起し、富とはこうして人々が得ることができる「自由に処分できる時間」だという主張を行っていました。

当時は、匿名のパンフレットは多く発表されていたそうです。マルクスは、手に入るかぎりのものをすべて読むという徹底した勉強ぶりを貫いた人で、スミス、リカードウなどの著名な大家の経済学の研究はもとよりですが、匿名だろうがなんだろうが、大事だと思うものはみんなノートにしたんですね。パネルをご覧ください（**パネル16**）。これは匿名の（ディルクの）パンフレットからマルクスが行った抜粋のノートの写しです。

中山　マルクスの字ですか？

志位　そうです。１８５０年～53年に作成された「ロンドン・ノート」と呼ばれるノートのなかに収められています。びっしり書き込んだノートです。ノートの隅から隅まで、文字通りすべて無駄なく使っています。こういうものを１８５１年にマルクスは抜き書きしていた。

その後、マルクスは１８５７年～63年の時期に『資本論草稿』をつくっていきます。『１８５７～58年草稿』、『１８６１～63年草稿』と二つの大きな草稿があります。これらの研究のなかで、マルクスは、資本主義の仕組みを徹底的に研究し、資本家による労働者の搾取の秘密、「利潤第一主義」について解明していきます。この解明をしていって、マルクスは、「労働者が資本家による搾取によって奪われているものは何だろうか」ということを、考え抜きます。

マルクスは、ここであらためてディルクからの抜粋を検討しなおし、「自由に処分できる時間」という考え方を、自身の理論の根幹に据えていきます。この問題について、マルクスが『資本論草稿』の研究から導き出した結論は、大まかにいって次のような趣旨のものでした。パネルをご覧ください（**パネル17**）。

マルクス『資本論草稿』（１８５７～63年）の研究から

〝搾取によって奪われているのは単に労働の成果――「モノ」や「カネ」だけではない。

パネル17
マルクス『資本論草稿』(1857～63年)の研究から

〝搾取によって奪われているのは単に労働の成果――「モノ」や「カネ」だけではない。労働時間の全体が資本家のもとにおかれることで、本来、人々が持つことができる「自由に処分できる時間」――「自由な時間」が奪われている〟〝「自由に処分できる時間」こそ、人間と社会にとっての「真の富」である〟

パネル17

労働時間の全体が資本家のもとにおかれることで、本来、人々が持つことができる「自由に処分できる時間」――「自由な時間」が奪われている〟〝「自由に処分できる時間」こそ、人間と社会にとっての「真の富」である〟

こういう主張が『資本論草稿』のなかに出てきます。マルクスは、「自由に処分できる時間」――一人ひとりの個人が、どんな外的な義務にも束縛されずに、自ら時間の主人公になって、自分の能力と活動を全面的に発展させることのできる時間こそ、人間と社会にとっての「真の富」だと考えたのです。

中山　「真の富」という言葉はすごく重みがありますね。

志位　ほんとうにそう思います。

Q21 搾取によって奪われているのは「カネ」だけでなく「自由な時間」ということですね？

「自由な時間」を取り戻し、人間の自由な発展を可能にする社会を

中山　搾取によって奪われているのは単に「モノ」や「カネ」だけではないということですね？

志位　そうです。そこが肝心な点です。そこをマルクスは、すごく大事に考えていたと思います。マルクスは『資本論草稿』のなかで、搾取によって労働者は資本家から「自由に処分できる時間」を「横領」されていると――「横領」という言葉まで使って「自由な時間」を奪っていることを告発しているんです。

たとえば労働者が1日12時間働かされたとします。そのうち、6時間は労働者が自分と自分の家族の生計費をまかなうために必要な価値を生み出す労働時間――必要労働時間であって、残りの6時間は必要労働時間を超える時間――剰余労働時間だとすると、1日の半分が搾取されているという計算になります。それではその半分で搾取されているものはいったい何だろう

か。

もちろん本来、労働者に支払うべき賃金が支払われてないわけですから、おカネが奪われている。不払い労働になっている。これはもとより重要な事実です。同時に奪われているのはそれだけではない、「自由な時間」が奪われている、ここに大きな問題があるとマルクスは考えた。

これは若いみなさんにとっても、たいへんに切実な問題ではないかと思います。私は、東北のある大学の学生のみなさんの集まりにうかがいまして、いろいろなお話をした時に、こういう訴えがありました。

「学費が高すぎます。奨学金が貧しすぎます。最低賃金が低すぎます。少しでも割高のアルバイトをやらなければなりません」「私は、深夜バイトをやっています」「私は、徹夜バイトをやっています」「勉強する時間が足らないのが一番の悩みです」

こういう訴えが口々に語られました。ほんとうに痛切な訴えです。

よく考えてみますと、奪われているものが「カネ」や「モノ」だったら、後で取り戻すことができます。しかし時間はそのとき1回きりしかないものです。だから時間ばかりは、いったん奪われたら取り戻しがきかないんです。かけがえのない、取り戻すことができない大切なものです。とくに若いみなさんにとっての「時間」は、私は、何物にも代えがたい宝のようなものだと思います。その「時間」を若いみなさんは奪われている。ここに一番の大きな問題があると、私は思います。

マルクスは、『資本論草稿』の研究をつうじて、次のようなメッセージを訴えているのではないかと思います。

〝「自由に処分できる時間」は人間と社会にとっての「真の富」だ。奪われている「自由な時間」を取り戻そう。資本主義的搾取を乗り越えることで、「自由な時間」を大きく広げよう。人間の自由で全面的な発展を可能にする、自由な社会を開こう〟

これはマルクスがただ頭の中で考えたことではありません。当時のイギリスでは、工場法――国の法律によって労働時間短縮を勝ち取る運動が大きく発展していました。１８４８年の工場法で10時間労働がはじめて法制化され、その後、拡充されていきました。工場法がつくられて長時間労働を規制すると、その結果、労働者が変わる（②５３２ページ）。労働者が肉体的に元気になり、知的な発達をとげる（②５２０ページ）。さらに「自由な時間」を得て、社会的・政治的活動にも携われるようになる。マルクスは、古い社会を変える新しいエネルギーを得ていることに注目しました（③８７７ページ）。

こうして、マルクスは理論的な展望にとどまらず、実際の労働者のたたかいの前進のなかに、「人間の自由で全面的な発展」への展望を見たのだと思います。

パネル 18 マルクス『賃金、価格および利潤』(1865年)から

「時間は人間の発達の場である」「思うままに処分できる自由な時間をもたない人間、睡眠や食事などによるたんなる生理的な中断をのぞけば、その全生涯を資本家のために労働によって奪われる人間は、牛馬にもおとるものである」

パネル18

マルクスは、1865年、のちに『賃金、価格および利潤』と題する冊子として出版されることになる労働運動の活動家を前にした講演のなかで、こういう言葉を残しています。パネルをご覧ください(パネル18)。

マルクス『賃金、価格および利潤』(1865年)から

「時間は人間の発達の場である」「思うままに処分できる自由な時間をもたない人間、睡眠や食事などによるたんなる生理的な中断をのぞけば、その全生涯を資本家のために労働によって奪われる人間は、牛馬にもおとるものである」

これはすごい言葉であり、激しい言葉です。人間というのは、ただ食べて、寝て、働けばよいという

存在ではない。みんなが発達する要求を持っているし、権利を持っている。しかし、そのためには「自由な時間」が必要だ。どんなに素晴らしい可能性を持っていても、「自由な時間」がなければ、それは可能性で終わってしまう。すべての人間に、自分を自由に発達させることのできる「自由な時間」が保障されてこそ、人間が人間として生きられる社会になる。そういう世界をめざそうではないか。マルクスは、そういう思い込めて、この訴えをしたのだと思います。

Q22 今の日本で、働く人は「自由に処分できる時間」をどのくらい奪われているのですか？

8時間労働に換算して、4時間18分が〝奪われた時間〟という推計も

中山　今の日本で、働く人は「自由に処分できる時間」をどのくらい奪われているのですか？

パネル19

必要労働時間と剰余労働時間

8時間労働に換算すると

必要労働時間	剰余労働時間
3時間42分	4時間18分

パネル19

志位　いろいろな研究がありますが、今日、私が紹介したいのは、大阪経済大学名誉教授の泉弘志さんが行った推計です（剰余価値率）。２０００年のデータをもとにした全産業の雇用者の推計ですが、これを8時間労働に換算しますと、必要労働時間が3時間42分。剰余労働時間が4時間18分になります（**パネル19**）。

中山　剰余労働の方が多いんですね。

志位　そうですね。8時間働いた場合、およそ4時間以上は、本来、労働者が持つべき「自由に処分できる時間」が資本家によって奪われていることになります。これは「サービス残業」という話ではありません。法律通りに働いていてもこういうふうになるということです。この比率は、産業や企業によっても違います。おおよその数字として頭に入れていただいて、これを取り戻すことができたら、どんなに未来が開けるかを楽しく想像していただきたいと思います。

Q23 『資本論』では、「人間の自由」と未来社会について、どういうまとめ方をしているのですか？

「真の自由の国」は、「必然性の国」を越えた先にある

中山 『資本論』では、「人間の自由」と未来社会について、どういうまとめ方をしているのですか？

志位 マルクスは『資本論』で、『資本論草稿』の考察をさらに発展させ、まとまって展開しました。「人間の自由で全面的な発展」のために何が必要か。マルクスが最終的に得た結論は、「労働時間を抜本的に短くする」というたいへんに簡明な真理でした。社会主義・共産主義の社会は、労働時間の抜本的短縮を可能にする、そこにこそ「人間の自由で全面的な発展」の保障がある。マルクスが続けてきた未来社会論の探究の到達点が、『資本論』に書き込まれたのです。

パネル20
マルクス『資本論』から―二つの「国」とその関係

「真の自由の国」 人間が自由にできる時間
「人間の力の発展」自体が目的
労働時間の短縮が根本条件

「必然性の国」 本来の物質的生産のための労働時間
「窮迫と外的な目的適合性に規定される」

パネル20

その叙述は、『資本論』第3部第7篇第48章「三位一体的定式」のなかに出てきます。『資本論』全3部のなかで、マルクスが自分の力で発刊できたのは第1部だけです。第2部と第3部は、マルクスが遺した『草稿』を、エンゲルスが編集して発刊したものです。第3部のなかに書き込まれた未来社会論は、エンゲルスが編集したもので、びっしり書かれた、見出しもない、段落もない、そういう文章のなかに突然出てきます。不破哲三さんが研究を進めるなかで、マルクスの未来社会論の一番の核心部分をのべたものとして光を当ててきたものです。『新版 資本論』では、エンゲルスの編集についての研究にもとづき、この部分は、第48章「三位一体的定式」の冒頭に移されています。パネルをご覧ください。これはそこでのべられていることを簡単な図にしたものです（**パネル20**）。

マルクス『資本論』から――二つの「国」とその関係

「真の自由の国」

人間が自由にできる時間

「人間の力の発展」自体が目的

労働日（一日の労働時間）の短縮が根本条件

「必然性の国」

本来の物質的生産のための労働時間

「窮迫と外的な目的適合性とによって規定される労働」（⑫１４５９～60ページ）

ここでマルクスは、人間の生活時間を二つの「国」――「必然性の国」と「真の自由の国」に分けています。「国」という言葉が使われていますが、これは地域という意味ではありません。人間の生活時間を「必然性の国」と「真の自由の国」という独特の概念に分けたのです。

まず「必然性の国」は、「本来の物質的生産」のためにあてられる労働時間だと規定されています。なぜそれを「必然性の国」と呼ぶのか。それはこの領域での人間の活動が、ちょっと難しい言葉ですが、「窮迫と外的な目的適合性とによって規定される労働」だからです。「窮迫」とは生活上の困難のことであり、「外的な目的」とは社会生活のうえで迫られるいろいろな必要のことです。そういうものに規定され、自分とその家族、社会の生活を維持するためにどうしても必要で余儀なくされる労働時間ということです。「窮迫」や「外的な目的」のために余儀なくされる労働は、人間の本当に自由な活動とは言えない。そこで「必然性の国」とマルクスは呼びました。

ただ「必然性の国」には自由がないかというと、そんなことはない。マルクスは、社会主義・共産主義社会に進めば、自由な意思で結びついた生産者による労働は、自らの人間性に最もふさわしい労働となり、自然との物質代謝を合理的に規制するような労働へと大きな変化をとげると言っています。貧困と格差、さまざまな労働苦、繰り返される恐慌、気候危機をもたらす環境破壊などもなくなっていく。そういう人間的で合理的な労働へと大きな変化をとげる。つまり、未来社会に進むことによって、「必然性の国」でも人間の活動に素晴らしい「自由」が開けてきます。

そこまで論じておいてマルクスは、しかしそれでも、この労働が「窮迫」と「外的な目的」のために余儀なくされる、義務的な労働であることには変わりがない。だからそれは依然として「必然性の国」なのだとのべます。

パネル
21

「自由に処分できる時間」(マルクス『資本論』から)

「人間的教養のための、精神的発達のための、社会的役割を遂行するための、社会的交流のための、肉体的・精神的生命力の自由な活動のための時間」

パネル21

そして「真の自由の国」は、それを越えた先にあると言っています。すなわち人間がまったく自由に使える時間のなかにある。つまり自分と社会にとってのあらゆる義務から解放されて、完全に自分が時間の主人公となる時間。自分の力を伸び伸びと自由に伸ばすことそのものが目的になる――「人間の力の発展」そのものが目的になる時間。マルクスはこれを「真の自由の国」と呼び、この「真の自由の国」を万人が十分に持つことができる社会となることに、社会主義・共産主義社会の何よりもの特質を見いだしたのです。そして、「労働時間の短縮が根本条件である」という実に簡明な言葉で結んでいます。私は、マルクスが『資本論』でのべたこの言葉は、『資本論草稿』での「自由に処分できる時間」にかかわる研究を凝縮してのべたものだと思います。

労働時間が抜本的に短くなって、たとえば1日3～4時間、週2～3日の労働で、あとは「自由な時間」となったとしたら何に使いますか。

中山　私はフルートを吹いてみたりとか、本を読んでみたりとか、そういうことしてみたいです。

志位　なるほど。いろいろなことに使って自分の能力を高めようとしますよね。パネルをご覧ください（**パネル21**）。マルクスは『資本論』のなかで、労働者が本来「自由に処分できる時間」について、次のようにのべています。

> **「自由に処分できる時間」（マルクス『資本論』から）**
>
> 「人間的教養のための、精神的発達のための、社会的役割を遂行するための、社会的交流のための、肉体的・精神的生命力の自由な活動のための時間」（②462ページ）

人間は、十分な「自由に処分できる時間」を獲得したら、自分のなかに眠っている潜在的な力を自由に伸ばすために、そうした時間を使うでしょう。人間的教養を豊かに身につけて人格を全面的に発展させるために使うでしょう。科学や芸術など自身の精神的発達のために使うでしょう。ここで大切なことは、マルクスが『資本論』でのべているように、社会的役割を果たし、社会的交流を豊かに行い、社会的活動を通じて、社会のみんなが自身を豊かに発展させることも、人間にとって欠かせないということです。「人間の自由で全面的な発展」と言った場合に、個々人がそれぞれその力を発展させるだけではなくて、豊かな社会的交流のなかでその力を発展させるという面も欠かすことができません。

それらをすべて含めて、人間のもっている潜在力が全面的に発揮されることになるでしょう。そして、「各人の自由な発展」が実現されることは、「万人の自由な発展」につながるでしょう。それは社会全体に素晴らしい力をあたえ、「必然性の国」を短くし、「真の自由の国」をさらに拡大していくことになるでしょう。

こうして人間の自由な発展と、社会の自由な発展の、好循環が生まれてきます。私は、マルクスの未来社会論の一番の輝きはここにあると考えます。

Q24 第一の角度の自由と、第二の角度の自由の関係について、踏み込んでお話しください

「利潤第一主義」からの自由は、「人間の自由で全面的な発展」の条件をつくる

中山　第一の角度の自由と、第二の角度の自由との関係について、踏み込んでお話しください。

志位　相互に深い関係があります。

まず、第一の角度の自由――「利潤第一主義」からの自由は、第二の角度の自由――「人間の自由で全面的な発展」の条件をつくります。

どうして未来社会では労働時間を抜本的に短くすることが可能になるか。つぎの二つの点が重要です。

第一に、「生産手段の社会化」によって、人間による人間の搾取がなくなり、社会のすべての構成員が平等に生産活動に参加するようになると、一人当たりの労働時間は大幅に短縮されます。さきほど、資本主義のもとでは、「本来、人々が持つことができる『自由に処分できる時間』――『自由な時間』が奪われている」「資本家によって横領されている」と言いましたが、労働者が資本家によって奪われた「自由な時間」を取り戻すことで、十分な「自由に処分

できる時間」が万人のものになります。

第二に、未来社会に進むことによって、資本主義に固有の浪費がなくなります。資本主義の社会は、一見すると効率的な社会に見えますが、人類の歴史のなかでこれほどはなはだしい浪費を特徴とする社会というのはないんです。繰り返される恐慌と不況は浪費の最たるものです。一方で大量の失業者がいる、他方で多くの企業が生産をストップしている、これは浪費の最たるものです。資本主義が、「利潤第一主義」のもとで「生産のための生産」に突き進み、「大量生産・大量消費・大量廃棄」を繰り返していることも浪費の深刻なあらわれです。その最も重大な帰結が気候危機にほかなりません。これらの浪費を一掃したら、それらに費やされている無用な労働時間が必要でなくなり、「真の自由の国」を大きく拡大することになるでしょう。

こうして、「利潤第一主義」からの自由は、「人間の自由で全面的な発展」の条件をつくることになるといえるでしょう。

Q25 「自由に処分できる時間」を広げることは、今の運動の力にもなるのではないですか？

「自由な時間」を拡大することは、資本主義体制を変える大きな力となる

中山　「自由に処分できる時間」を広げることは、今の私たちの運動を発展させる力にもなると思いますが。

志位　その通りですね。それがもう一つの大事な側面です。「真の自由の国」は、未来社会において飛躍的に拡大することになりますが、資本主義のもとではそれが得られないかといったら、そんなことはありません。たたかいによって広げていくことができます。私たちはいま、「8時間働けばふつうに暮らせる社会」を合言葉にして、労働時間短縮を求めるたたかいを進めていますが、これも「真の自由の国」を広げるたたかいです。そして「自由に処分できる時間」を取り戻し、広げていくことは、互いに交流しあい、団結を広げ、社会進歩の運動をすすめるうえで、決定的な力となります。民青の活動も「自由な時間」がないとできませんよね。

中山　本当にそうですね。今でもみんなで頑張って時間をつくっているんですけど、もっと時間があったら、もっともっとたくさんのことができると思います。

志位　そう。そこが大事なところですね。みんなが「自由な時間」を、資本主義の社会においても持つことは、この体制を変える一番の力になるんです。

この点について、マルクスは『資本論』のなかで、イギリスの労働者階級が、工場法による労働時間短縮をかちとったことについて、〝工場法は、労働者たちを自分自身の時間の主人にすることによって、彼らに政治権力の獲得に向かわせる精神的エネルギーを与えた〟とする工場監督官の報告書を引用しています（②533ページ）。

つまり資本主義のもとでの「人間の自由で全面的な発展」にむけた「自由に処分できる時間」を獲得するたたかいは、「利潤第一主義」からの自由をかちとる社会変革のエネルギーになってきます。すなわち、第二の角度の自由——「人間の自由で全面的な発展」にむけて「自由な時間」を獲得することは、第一の角度の自由——「利潤第一主義」からの自由を実現する条件になってきます。

このように、第一の角度の自由と、第二の角度の自由は、相互に条件となっており、深い関係があるということが言えるのではないでしょうか。

第三の角度――発達した資本主義国での巨大な可能性

Q26 「利潤第一主義」がもたらすのは害悪だけなのでしょうか？

資本主義の発達は、新しい社会に進む客観的条件と主体的条件をつくりだす

中山　続いて第三の角度――発達した資本主義国の巨大な可能性に進みます。日本共産党の大会決議は、発達した資本主義の国から社会主義・共産主義をめざす社会変革について、「人間の自由」という点でも、はかり知れない豊かな可能性があると言っています。ここでまずうかがいたいのは、さきほど「利潤第一主義」が大きな害悪をもたらすという話をされましたが、「利潤第一主義」がもたらすのは害悪だけなのでしょうか。もしそうなら

ば、資本主義が発達すればするほど、社会が発展する展望がなくなってしまうと思いますけれど、いかがでしょうか。

志位　「利潤第一主義」がもたらす害悪はお話しした通りですが、もたらすのは害悪だけではありません。マルクスは物事をとらえるときに、あらゆるもののなかに積極的な側面と否定的な側面の両方を見ました。「利潤第一主義」にもそういうところがあります。「利潤第一主義」がもたらすのは害悪だけではなくて、マルクスは『資本論』で、資本主義の発達が、新しい社会に進む客観的条件、および主体的条件をつくりだすということを、さまざまな形で明らかにしています。

まず、「利潤第一主義」は、資本を「生産のための生産」にかりたてるわけですが、そのことによって労働時間短縮の土台となる高度の生産力をつくりだすなど、未来社会を支えるさまざまな物質的な条件をつくりだしていきます。つまり新しい社会の客観的条件をつくりだします。

もう一つは、「利潤第一主義」がもたらすいろいろな害悪に立ち向かうなかで、労働者、人民は、自分たちの生存を守るためのたたかいを発展させ、新しい社会を担う主人公として成長していきます。つまり新しい社会をつくる主体的条件がつくりだされていきます。客観的にも主体的にも、「利潤第一主義」というのは、資本の意にも反して、新しい社会を準備していくことになります。

マルクスは、1846年12月、ロシアの著述家アンネンコフにあてた手紙で、自分たちが到達した社会観――「史的唯物論」の体系的な解明を行っています。マルクスがエンゲルスとともに執筆した『ドイツ・イデオロギー』(1845～46年)は、史的唯物論の土台を仕上げたものでしたが、この労作は刊行されませんでしたから、誰にも知られていませんでした。史的唯物論の社会観を、第三者に対して最初にのべたのはアンネンコフへの手紙でした。

この手紙のなかで、マルクスは、人類の歴史とは何かについて、とても深いことを言っています。人類の歴史的発展というのは、先行する世代によって獲得された達成――生産力の一定の発展、それに対応した生産における人と人との関係(生産関係)、さらにそれに対応した政治形態などを、後続の世代がその限界や制限を乗り越えて発展させることで、形成されてゆく。あれこれの「普遍的な理性や神」から、新しい社会がつくられるわけではない。また人間は、あれこれの社会形態――経済的発展の形態を選択する自由があるわけでない。これまでの世代がつくってきた現実の社会形態の達成を土台にして、後続の世代がそれを発展させることによって、人類の歴史的発展というものはつくりだされていく。こういう歴史観、社会観を語っています。

マルクスは、こういう立場を終生にわたって貫き、発展させました。この立場にたって、資本主義から社会主義・共産主義への発展について、考えていきたいと思います。

Q27 資本主義の発展のもとでつくられ、未来社会に引き継がれるものをお話しください

資本主義の発展がつくりだす「五つの要素」――「継承」とともに「発展」させる

中山 資本主義の発展のもとでつくられ、未来社会に引き継がれるものというのは具体的には何なのでしょうか？

志位 私たちは、２０２０年の日本共産党第28回大会で一部改定した綱領で、資本主義の高度な発展そのものが、その胎内に未来社会に進むさまざまな客観的条件、および主体的条件をつくりだすこと、それらは生産手段の社会化を土台にして、未来社会に継承し、発展させられることを、「五つの要素」を列挙して明らかにしました。パネルをご覧ください（**パネル22**）。

パネル22

未来社会に継承・発展させられる「五つの要素」

1 高度な生産力
2 経済を社会的に規制・管理する仕組み
3 国民の生活と権利を守るルール
4 自由と民主主義の諸制度と国民のたたかいの歴史的経験
5 人間の豊かな個性

パネル22

未来社会に継承・発展させられる「五つの要素」

1、高度な生産力
2、経済を社会的に規制・管理する仕組み
3、国民の生活と権利を守るルール
4、自由と民主主義の諸制度と国民のたたかいの歴史的経験
5、人間の豊かな個性

発達した資本主義国から社会主義の道に進む場合には、これらの「五つの要素」がすでに豊かな形で発展しています。それらをすべて継承し、さらに発展させて、新しい社会を建設することができます。大会決議が、「人間の自由」という点でも、「はかり知れない豊かな可能性がある」とのべたのは、そういう展望を踏まえてのものです。

今日は、未来社会に進む場合に、「五つの要素」をただ「継承」するだけではない。「発展」させることになるということにも、一つの力点を置いて話したいと思います。

中山　「発展」をキーワードにということですね。

志位　ええ。資本主義の成果を「継承」するだけだったら、社会主義に進む必要はどこにあるのかということにもなる。社会主義ならではの「発展」にも焦点をあてて話していきたいと思います。

Q28 「高度な生産力」の大切さはわかりますが、生産力って害悪をもたらす面もあるのでは？

問題は「資本の生産力」――未来社会における生産力は豊かな新しい質を持つ

中山　それでは、一つ一つについてうかがいます。第一の要素――高度な生産力が引き継がれるということはわかりますが、生産力って害悪をもたらすというイメージもありますが、どうなのでしょうか?

志位　ここで、生産力についてそもそもから考えてみたいと思います。まず生産力そのものは、未来社会をつくる物質的な土台になります。マルクスは『資本論』で、資本は、最大の利潤をくみあげるために、容赦なく人類を強制して、「生産のために生産」させ、「社会的生産諸力を発展」させ、それによって未来社会の「唯一の現実的土台となりうる物質的生産諸条件を創造する」と言っています(④1030ページ)。

さきほど、「人間の自由で全面的な発展」のための根本的条件は、労働時間の抜本的短縮だということをお話ししました。労働時間の抜本的短縮を実現しようとすれば、高度な生産力は不可欠の条件となります。さらにそれは、できるだけ短い労働時間で、人間にとって必要な物の豊富さをつくりだす条件となるでしょう。発達した資本主義国では、未来社会の物質的な土台となる高度な生産力がすでにつくられていて、これを生かして前に進むことができることを、まず強調したいと思います。

そのうえで同時に強調したいのは、未来社会――社会主義・共産主義社会は、資本主義のもとでつくられた高度な生産力を、ただ引き継ぐのではなく――「利潤第一主義」に突き動かされて「生産のための生産」に突き進んだ資本主義社会のような、生産力の無限の量的発展をめざすものでなく――、新しい質で発展させるものとなるだろうということです。

そもそも生産力とは何かを考えますと、生産力とは、本来は、人間が自然に働きかけて、人間にとって役に立つものを生み出すための人間的な能力です。本来、生産力というのは「労働の生産力」なのです（①85ページ）。ところが資本主義社会のもとでは、「労働の生産力」が、資本の支配のもとに置かれてしまって、あたかも「資本の生産力」であるかのようにあらわれます。そして搾取を強化したり、自然を破壊する力をふるってくる。未来社会に進むことによって、生産力は「資本の生産力」から抜け出して、本来の人間的能力としての「労働の生産力」の姿を取り戻すことになる。これが私たちの展望です。

私は、未来社会における生産力は、次のような豊かな新しい質をもつものとして発展させられるだろうと考えます。少なくともということで3点ほど言いたいと思います。パネルをご覧ください（**パネル23**）。

未来社会における生産力の新しい質
1、「自由な時間」をもつ人間によって担われる
2、労働者の生活向上と調和した質をもつ
3、環境保全と両立する質をもつ

パネル
23

未来社会における生産力の新しい質

1 「自由な時間」をもつ人間によって担われる

2 労働者の生活向上と調和した質をもつ

3 環境保全と両立する質をもつ

パネル23

第一は、生産力が、「自由な時間」をもつ人間によって担われることになるということです。つまり生産力の主体となる人間が変わります。マルクスは、『資本論草稿』のなかで、「自由に処分できる時間」を持つ人間の労働時間は、労働するだけの人間の労働時間よりもはるかに高度な質をもつと言っています。また「自由な時間」の増大は、その持ち手をこれまでとは違った主体に転化し、最大の生産力となるという言い方もしています。「自由な時間」を持つ人間――全面的に発達した人間によって担われる生産力は、より高い質をもつことになるでしょう。それは人間にとって必要な物の豊富さを、より短い時間で生産することを可能にするでしょう。

第二は、労働者の生活向上と調和した質をもつことになるだろうということです。「資本の生産力」

のもとでは、生産力の発展は、一方で社会の発展をつくりだしますが、つねに労働者の搾取の強化の手段ともされます。たとえばＡＩ（人工知能）は、それ自体は、社会の進歩のために活用することができますが、同時に、市民や企業を米国企業の独占体制に従属させ、労働者の失業を増大させるなどの問題点も指摘されています。未来社会に進むことによって、「資本の生産力」によってもたらされている、生産力の労働に対する敵対的な性格はなくなるでしょう。つまり労働者の生活の向上と調和した質をもつことになることが展望できるのではないでしょうか。

第三は、環境保全と両立する質をもつことになるだろうということです。さきほど未来社会に進むことで資本主義固有の「大量生産・大量消費・大量廃棄」などの浪費がなくなるという話をしました。浪費がなくなることは生産力の質を豊かなものへと大きく高めることになるでしょう。その量がたとえ少なくなっても、質も含めた生産力の全体はより豊かなものへと発展するでしょう。また、さきほど「あとの祭り」の経済から抜け出すという話をしました。社会的浪費を一掃し、「あとの祭り」の経済から抜け出して、「祭り」の前に「社会的理性」が働くような社会に発展することで、生産力は環境保全と両立する質をもつようになるでしょう。

中山　なるほど。悪いのは生産力ではなくて、「資本の生産力」なのですね。

志位　そうですね。悪いのは生産力一般ではなくて、「資本の生産力」が問題なのです。マルクスは、「資本の生産力」に対しては、一貫して厳しい批判者でした。「資本の生産力」から抜け出して、本来の人間的能力としての「労働の生産力」の姿を取り戻していこう。これが私たちの展望です。

Q29 「経済を社会的に規制・管理する仕組み」とはどういうことですか？

マルクスは信用制度・銀行制度が、「有力なテコ」として役立つと強調した

中山　第二の要素――「経済を社会的に規制・管理する仕組み」、これはどういうことでしょうか？

志位　マルクスが、資本主義から社会主義に引き継ぐべき要素として考えたのは、生産力だけではありませんでした。資本主義経済の発展のなかでは、経済を社会的に管理する一定の形

態がつくられてきます。マルクスはそこに注目して、そうした形態をテコにして、より高度な経済体制――社会主義の体制にむかって前進するという構想を、『資本論』のなかで展開しています。

この点で、マルクスが注目したのは、信用制度・銀行制度でした。この制度が資本主義経済の発展のなかで高度な発展をとげることが、社会主義に移行する時期に、「有力なテコ」として役立つとのべています。

中山　どういうことでしょうか。

志位　ここに大銀行の帳簿をもってきて、それを見たとします。そうしますと、その銀行がどこから資金を調達しているのかがわかります。どこに資金を貸し出しているのかもわかります。さらに、日本の巨大銀行の帳簿のすべてを、ここにもってきて見たとします。そうしますと、日本の工場や土地や機械――生産手段のありようも社会的な規模で見えてくるでしょう。

マルクスはそういうことをとらえて、未来社会――社会主義・共産主義への移行のさいに、すなわち「生産手段の社会化」のさいに、信用制度が「有力なテコ」の一つになると考えたのです（⑩１０９６ページ）。資本主義の胎内で生まれる手がかりをすべて活用して前に進むというのは、マルクスの一貫した考えでした。

同時に、マルクスは『資本論』のなかで、資本主義のもとで、信用制度が、「新種の寄生虫一族」や「ペテンと詐欺の全体制」をつくりだすことを痛烈に批判しています（⑨７７４ページ）。なぜならば、信用制度というのは、自分のカネでもうけるのではない。他人のカネでもうけることを特徴とするからです。そのために過度な投機などにブレーキがきかなくなる。

未来社会に進むことによって、他人のカネで無責任なもうけ仕事に精を出すというような、「ペテンと詐欺」はなくなって、信用制度・銀行制度は、純然たる「経済を社会的に規制・管理する仕組み」として働くようになるだろうというのが、私たちの展望です。ただし、いま問題になっているカジノは、これとも次元を異にしています。カジノは、他人のカネでもうけるだけではない、他人の不幸でもうけるものですから。これは資本主義のもとでも絶対に許してはならないということを言いたいと思います。

さきほど生産手段が生産者の共同体である社会の手にうつった未来社会では、生産の意識的計画的管理が初めて可能になるというお話をしました。どうやって生産の意識的計画的管理を行うかというのは、未来の世代の大きな探究と開拓の課題になってくるでしょうが、そのさいに資本主義の発展のなかでそれをすすめる「有力なテコ」がすでにつくりだされており、それを生かして前に進むことができるということは間違いなく言えると思います。ここにも「はかり知れない豊かな可能性」があるといえるのではないでしょうか。

Q30 「国民の生活と権利を守るルール」も未来社会に引き継がれていくのですか？

引き継がれるだけでなく、搾取をなくすことでうんと豊かになる

中山　つづいて第三の要素に進みたいのですが、「国民の生活と権利を守るルール」、これも未来社会に引き継がれていくんですか？

志位　引き継がれるだけでなく、うんと豊かになるでしょう。

ここで、私たちが「国民の生活と権利を守るルール」と呼んでいるのは、労働時間の抜本的短縮をはじめ人間らしく働くことのできるルール、人間らしい暮らしを支える社会保障、十分な教育を誰もが平等に受けることができる制度、中小企業や農林水産業を経済を支える根幹・背骨として大事に発展させる仕組みをつくること、そしてジェンダー平等社会の実現などのことです。つまり、いま私たちがとりくんでいるたたかいの課題そのものを、「国民の生活と権

利を守るルール」という言葉で示しています。これらは、どれもが資本主義の枠内で実現すべき課題ですけれども、その成果の多くは未来社会にも引き継がれていくだろうというのが、私たちの展望です。

同時に、ここでも強調したいのは、引き継がれるだけではなくて、豊かに発展するということなんです。さきほどお話ししたように、社会主義的変革の中心は、「生産手段の社会化」によって人間による人間の搾取をなくすことにあります。搾取をなくすということは、「国民の生活と権利を守るルール」という面でも画期的な豊かな展望を開くことになると思います。

労働時間の短縮は、資本主義のもとでの労働者のたたかいの最も重要な課題の一つであり、現に一歩一歩、労働時間の短縮がかちとられつつあります。同時に、社会のなかで過度に労働させられる人と、働く力があるのに無為に過ごす人との対立があるかぎり、労働時間の短縮にはある制限があります。人間による人間の搾取をなくすことによって、資本によって横領されている「自由に処分できる時間」を全面的に取り戻すことができるようになってこそ、労働時間の抜本的短縮――資本主義のもとでの制限を乗り越えた抜本的短縮への道が開かれることになるでしょう。

それから搾取をなくすことで、生産者がつくった生産物の主要部分が生産者のものになってきます。資本主義のもとでは、一握りの資本家が巨大なもうけを独占しています。そのために社会全体でみても、いろいろな圧迫が起こります。たとえば社会保障や教育のために充てられる社会的な財源が圧迫される。これはいま私たちが目にしていることです。もちろん資本主義の枠内でも、これらに充てる財源を増やしていくことは重要な課題ですが、未来社会に進んで搾取がなくなれば、社会保障や教育、事故や災害などに充てられる社会的な財源は、資本による圧迫から自由になって、はるかに豊かなものになるでしょう。

こうして、「国民の生活と権利を守るルール」も、資本主義の発達のもとでの国民のたたかいによってかちとったすべての到達点を引き継ぐとともに、搾取をなくすという未来社会の大変革によって、はるかに豊かになるだろうという展望をもつことができると思います。

中山　すべての人がはるかに豊かなものを享受できるようになるということですね。

志位　そう思います。

Q31　「自由と民主主義」についてのマルクスの立場、未来社会になったらどうなるのかについてお話しください

自由と民主主義を守り、発展させることに、科学的社会主義の原点がある

中山　素晴らしいですね。それでは、第四の要素――「自由と民主主義の諸制度と国民のたたかいの歴史的経験」についてお聞きします。マルクス、エンゲルスのそもそもの立場はどうだったのか、そして未来社会になった場合に、これらの制度がどうなるのかについて、お話しください。

志位　まず、マルクス、エンゲルスのそもそもの立場についてお話しします。マルクス、エンゲルスが活動を始めたのは19世紀の前半ですが、この時代がどんな時代だったのかというと、民主主義は危険思想と思われていた。

中山　民主主義が危険思想ですか？

志位　イギリスのジェームズ・ブライス（1838～1922）という政治家で政治学者・歴史学者が、1921年に発表した著作『近代民主政治』のなかで、「1世紀前」の世界について描いています。「1世紀前」――1820年ごろは、スイスの一部の州以外には、ヨーロッパには民主政治は存在しなかった。「70年前」――1850年ごろでも、「デモクラ

シーという言葉は嫌悪と恐怖をもよおさせた」と書いています。

中山　民主主義が「嫌悪と恐怖」とはびっくりですね。

志位　いまから考えると、ほんとうにびっくりです。19世紀前半には、普通選挙権とそれにもとづく民主共和制の国は、ヨーロッパにはありませんでした。大西洋のかなたのアメリカだけだった。

中山　そうなんですか。

志位　そういう時代なんです。マルクス、エンゲルスが活動を始めた時期は。

民主主義の主張が文字通り「危険思想」扱いされていた時代から、マルクス、エンゲルスは、出版・結社・集会の自由のためのたたかいを、労働運動の中心的な課題として一貫して重視してたたかい続けました。大月書店から発行されている『マルクス＝エンゲルス全集』の第1巻の巻頭に収録されているマルクスの最初の政治的労作は、「プロイセンの最新の検閲訓令にたいする見解」（1842年）と題するもので、プロイセンの検閲制度を痛烈に批判し、「検閲制度の真の根本的治療はその廃止にある」と訴えたものです。出版の自由を訴えた論文なのです。いわばここに、革命家・マルクスの「一丁目一番地」があったのです。

マルクス、エンゲルスは、人民主権の実現を主張し、普通選挙権とそれにもとづく民主共和制の実現のために一貫してたたかい続けました。マルクスは、アメリカのエイブラハム・リンカーン（1809～65）が、1864年11月の大統領選挙で再選をかちとったさい、国際労働者協会（インタナショナル）の祝辞を起草し、そのなかでアメリカを民主主義の発祥の地として次のように特徴づけています。

「まだ一世紀もたたぬ昔に一つの偉大な民主共和国の思想がはじめて生まれた土地、そこから最初の人権宣言が発せられ、一八世紀のヨーロッパの革命に最初の衝撃があたえられたほかならぬその土地」

　この地球上で民主共和制を初めて実現し、最初の人権宣言を発した土地として、アメリカに対する強い尊敬の気持ちを表明している書簡です。そういう立場で、終生、たたかいぬいたのがマルクス、エンゲルスだということを強調したいと思います。

　日本でも、天皇絶対の専制政治が行われていた戦前の時期、民主主義は一番の「危険思想」とされていたではないですか。国民主権の民主主義日本をつくろうなどと言ったら、弾圧され牢屋（ろうや）に入れられてしまった時代です。そういう時代に、国民主権、民主主義、反戦平和の旗を命がけで不屈に掲げて頑張りぬいた唯一の政党が日本共産党であり、民青同盟の前身の共産青年同盟でした。

　このように、自由と民主主義を本気で守り、発展させるというところに、科学的社会主義の原点があるということを、まず強調したいと思います。

自由と民主主義の諸制度は、資本主義のもとでの各国国民のたたかいで、豊かな発展をとげていくのですが、そのすべてを引き継ぎ、豊かに発展させ、自由と民主主義が本当に花開く社会をつくるというのが、私たちの確固とした立場です。

そのさい、ここでも引き継ぐだけではなくて、発展させるということを強調したいと思います。たとえば、日本の現実を見た場合に、憲法では言論・出版・報道の自由が保障されています。それでは巨大メディアの現状はどうなっているでしょうか。巨大メディアは権力の監視役という本来の役割を果たしているでしょうか。多くの場合には、そうは言えないという現状があることは否定できないでしょう。もちろんメディアのなかにも、良心と勇気をもって頑張っている人がたくさんいることを、私たちは知っています。同時に、巨大メディアがさまざまな弱点を抱えていることは事実であり、その根本には、巨大メディアの多くが、財界・大企業との強い結びつきのもとに置かれている、あるいはアメリカの深い影響下に置かれているという問題があることを指摘しなければなりません。

これらの外的な制約に対しては、資本主義のもとでもそれを打ち破り、言論・出版・報道の自由をかちとっていく努力が必要です。同時に、社会主義・共産主義の社会に進むことによって、自由と民主主義は、そういう一切の外的な制約から自由になり、はるかに豊かになるということが言えると思います。

日本共産党は、綱領で、「社会主義・共産主義の日本では、民主主義と自由の成果をはじめ、資本主義時代の価値ある成果のすべてが、受けつがれ、いっそう発展させられる」と国民に固く公約しています。

中山 世界でも日本でも、自由と民主主義のために先駆的にたたかってきたのが共産主義者であり、科学的社会主義を掲げた人たちだった、それを将来にわたってもっと豊かに発展させるということですね。

志位 その通りです。

Q32 人間の豊かな個性と資本主義、社会主義の関係についてお話しください

資本主義のもとで広がった「人間の個性」が、未来社会で豊かに開花する

中山 それでは、最後の五つ目の要素です。「人間の豊かな個性」と資本主義の関係、人間

の個性が未来社会でどうなるのかについて話してください。

志位　マルクスは『資本論草稿』のなかで、「人間の個性の発展」という角度から人類史を3段階に概括する、すごい考察をしているんです。

第一段階は、マルクスが「人格的な依存諸関係」と呼んだ社会です。原始共同体から奴隷制、封建制までの社会です。原始共同体は、さきほどお話ししたように、生産力が低い水準ながらも、自由で平等な人間関係の社会でした。ただ個人は共同体の一部であって、本当の意味で独立した個性とはなりえないという限界がありました。それに続く奴隷制や封建制のもとでは、奴隷や農奴は、支配階級によって人格がまるごと隷属化されました。奴隷制のもとでは、奴隷所有者によって、奴隷は物と同じように売買されました。封建制のもとでは、封建領主によって、農奴は人格的な隷属のもとに置かれました。

そういう時代には、独立した個人、独立した人格、独立した個性は、社会的な規模では問題になりませんでした。ごく一部の支配階級のなかでは、さまざまな個性が生まれ、芸術や文化も生まれます。いま放映されているNHKの「大河ドラマ」――「光る君へ」では、紫式部が主人公です。この時代にも、そういう素晴らしい個性が生まれたけれども、彼女も下級ながら貴族階級に属しています。支配階級のなかでは、さまざまな個性が生まれて、文化や芸術も生まれた。しかし、大多数の抑圧された人々のなかでは、個性の豊かな発展は問題になりませんでした。

第二段階は、マルクスが「物象的依存性のうえにきずかれた人格的独立性」と呼んだ段階です。これは資本主義社会のことです。資本主義は、「人間の個性」という点で、それまでの社会のあり方を大きく変えるんです。資本主義のもとでは、資本家と労働者は、法律的、形式的には平等になるでしょう。だから、そういうもとで初めて、独立した人格や、豊かな個性が、社会的規模で現実のものになります。「人間の個性」という点でも、資本主義は、未来社会の重要な条件をつくりだす歴史的な意義をもつことになる。マルクスはそういう捉え方をするんです。

ただ同時に、ここでも強調したいのは、マルクスは「物象的依存性」という言葉で表現していますが、資本主義のもとでは、資本家と労働者は、形式的には平等になりますが、労働者は、実質的には資本家による搾取と支配のもとに置かれています。そのことは「人間の個性」の発展という点でもいろいろな制約をつくりだします。

人間が人間を搾取するということは、人間のなかに支配・被支配の関係をつくります。つまり本当の意味での平等とはいえない関係をつくりだす。これがさまざまな差別をつくる根っこになり、「人間の個性」という点でも制約をつくりだします。

たとえばジェンダー平等について考えてみましょう。いまジェンダー平等を求めるムーブメントが、日本でも世界でもすごい流れになって、「女性の世界史的復権」と私たちは言っているのですが、本当に希望ある流れが広がっています。ジェンダー平等は、資本主義のもとでも最大限に追求されなければならないし、資本主義のもとでも多くは実現可能だと思いますし、現にどんどん実現しつつあります。ただ同時に、私は、人類の社会が社会主義・共産主義に進んで、人間による人間の搾取がなくなって、あらゆる支配・被支配の関係——権力関係がなくなって、差別をつくる根がなくなって、本当に自由で平等な人間関係がつくられてはじめて、ジェンダー平等も完全な形で実現するのではないか。こう思うんですよ。

中山　ええ、ええ。そうですよね。

志位　それから、もう一つ考えてみますと、人間が人間を搾取するもとで、何が奪われているか。さきほどお話ししたように、「自由に処分できる時間」が奪われている。そうしますと、そのことが「人間の個性」の発展という点でも、大きな制約になるじゃないですか。どんな個性でも、それを自由に伸ばそうとしたら、「自由に処分できる時間」が必要です。十分な「自由な時間」が万人に保障される未来社会に進んでこそ、人間の自由な個性、豊かな個性が全面的に豊かに花開くということが言えるのではないでしょうか。

中山　なるほど。「利潤第一主義」から解放された新しい社会というのは、本当にいろいろな意味で、呪縛（じゅばく）を解き放って自由に発展できるんだなという可能性を感じます。

志位　マルクスは『資本論草稿』で、第三段階を、「自由な個性」の段階と呼び、社会主義・共産主義において、それが実現すると言っています。個人の自由な発展を最大の特徴とする社会、自由な意思で結合した生産者たちが共同で生産手段をもち、生産を意識的計画的な管理のもとにおく社会でこそ、本当の意味で「自由な個性」が実現する。これがマルクスがのべた展望でした。

Q33 今のたたかいが未来社会につながっていると言えますね?

いくつかの段階をへながら、未来社会に地続きでつながっている

中山 「五つの要素」についてお話ししていただいたんですけれども、今のたたかいが未来社会につながっているということが言えますね。

志位 そうですね。「五つの要素」という整理をしてみますと、「今の私たちのたたかいが未来社会へと地続きでつながっている」ということがはっきり見えてきます。

中山 地続きですね。

志位　そうです。ただ地続きといっても平たんな道ではありません。そこにいたるには、社会を大きく変えるいくつかの段階が必要です。私たちがいま直面している変革の課題は、国民多数の合意で、「アメリカ言いなり」「財界中心」という異常なゆがみをただして、「国民が主人公」の民主主義日本をつくるということにあります。さらに、それをやりとげたあとで、これも国民多数の合意で、「生産手段の社会化」を中心とする社会主義的変革という大変革を行うというのが私たちのプログラムです。このようにいくつかの段階を、国民多数の合意で一歩一歩進んでいくというプロセスが不可欠になりますが、「今のたたかいが未来社会に地続きでつながっている」ということは、うんと強調したいと思います。

「五つの要素」のなかには、資本主義の発展のなかで必然的に生まれてくる要素もあります。第一の要素――「高度な生産力」、第二の要素――「経済を社会的に規制・管理する仕組み」は、資本主義の発展のなかで必然的に生まれてきます。

しかし第三の要素――「国民の生活と権利を守るルール」、第四の要素――「自由と民主主義の諸制度と国民のたたかいの歴史的経験」、第五の要素――「人間の豊かな個性」、これらはどれも、最初から社会と人間に備わっていたわけではありません。そのすべてが労働者や国民のたたかいによってつくってきたものです。

今の私たちのたたかいは、未来社会に地続きでつながっている。そういうロマンのなかに、いまのたたかいを位置づけて頑張りたいと思います。

Q34 旧ソ連、中国のような社会にならない保障はどこにあるのでしょうか？

保障は、発達した資本主義を土台にして社会変革を進めるという事実のなかに

中山 未来社会のイメージが膨らむ、とても豊かな内容を話してくださったんですけれども、それでもまだ不安という声があると思います。旧ソ連とか、中国というワードが結構出てきます。そういう社会にならないという保障はどこにあるのでしょうか？

志位 そういうご心配はあると思います。ただ、いままでお話ししてきたなかに、回答はすでにあると思います。

ソ連がなぜ崩壊し、中国でなぜさまざまな問題点が存在しているのか。直接の原因は、指導勢力の誤りにありますが、両者に共通する根本の問題があります。それは、「革命の出発点の

遅れ」という問題なのです。言葉を換えて言いますと、いまお話ししてきた「五つの要素」――社会主義を建設するためには必要な前提が、革命の当初にないか、あってもたいへんに未成熟だった。

たとえば生産力という問題を考えても、たいへんに遅れた状態からの出発になりました。1917年のロシア革命の場合、革命を指導したレーニンは、「共産主義とはソビエト権力プラス全国の電化だ」という言葉を残しています。つまりまだ電気が通っていないところから経済建設を始めなければならなかった。そうした遅れた状態からの出発が、いろいろな困難をつくりだしました。そのなかでスターリンが、社会主義への道から決定的に逸脱する強制的な農業集団化という誤りに陥り、大量弾圧という深刻な誤りを引き起こし、社会主義とは無縁の体制に落ち込んでいきました。

自由と民主主義という点でも、ロシアはどうだったかというと、革命前は、ツァーリと呼ばれた専制君主が国家の全権力を握っていて、人民には何の権利もない。議会もあるにはあったけれども形ばかりのもので何の権限もない。中国はどうだったかというと、中国の場合は1911年から12年に辛亥(しんがい)革命が起こり、形のうえでは民主共和制になるわけですが、軍閥が割拠している、日本が侵略するもとで、議会は存在しませんでした。そういう自由も民主主義も未発達な状態からロシアも中国も出発したわけですから、革命後、自由と民主主義の制度をつくる特別の努力が指導勢力には求められたのですが、それが十分になされませんでした。旧ソ連では、大量弾圧が引き起こされて、一党制が固定化されました。

人間の個性という点はどうでしょうか。人民がどれだけ文字を読み、理解し、書くことができたか。識字率は、ロシア革命の場合、革命直後の数字で32%という数字が記録に残っています。およそ7割は字が読めなかったわけです。中国革命の場合、革命直前の数字で17%、8割以上は字が読めなかったと推定されています。ここから出発したわけですから、これが、「人間の個性」の発展という点での大きな障害になったことは明らかだと思います。

この点で、私たちの住む日本はどうかといったら、まったく条件が違うではないですか。資本主義が発達したもとで、国民のたたかいともあいまって、さきほどのべた「五つの要素」が豊かに発展しています。もちろん、逆行や制限もあります。しかし、ロシアや中国の出発点に比べれば、比較にならない高い到達点といえます。それらをすべて生かし、発展させて未来社会を建設することができるわけです。

日本の社会主義・共産主義の未来が、自由のない社会には決してならないという最大の保障は、発達した資本主義社会を土台にして社会変革を進めるという事実そのもののなかにあります。ですから、どうかこの点ではご心配なく、ということを言っておきたいと思います。

中山 なるほど。事実の中に回答があるというのは、とても説得力がありますね。

Q35 発達した資本主義国から社会主義に進んだ例はあるのですか？

豊かで壮大な可能性に満ちた、人類未踏の新しい事業への挑戦

中山 それでは最後の質問になるんですが。

志位 最後になりましたね。

中山 35問目です。発達した資本主義国から社会主義に進んだ例はほかにいままであったんでしょうか。

志位 ないんです。

中山 ないんですね。

志位 発達した資本主義国から社会主義への前進に踏み出したとりくみというのは、人類の誰もやったことがない。最初の一歩を踏み出した経験もない。人類未踏のまったく新しい事業への挑戦になります。

どうしてそれがないかというと、発達した資本主義国では、新しい社会へ進むためのいろい

ろな豊かな条件がつくりだされているわけですが、新しい社会に進むうえでの特別の困難もあるからです。資本主義が発達しますと、この体制の矛盾が深まっていきますが、同時に、この体制を延命するためのいろいろな仕掛けも発達してきます。さきほどのべた巨大メディアなどもその一つです。

同時に、そこには豊かで壮大な可能性があるということは、これまでお話しした通りです。資本主義の発達のもとで私たちが手にしたすべての価値あるものを引き継いで、豊かに発展させ、花開かせる社会が、私たちのめざす未来社会ですから、まさに豊かで壮大な可能性に満ちた社会といっていいでしょう。

私たちは綱領に次の言葉を書き込みました。

「発達した資本主義国での社会変革は、社会主義・共産主義への大道である」

ここに大道があります。ですから、この日本でやろうじゃないかということを、私は、若いみなさんに訴えたいと思います。

まずは、「アメリカ言いなり」「財界中心」の異常なゆがみをただす民主主義革命をやりとげて、その先には、国民みんなの合意で、誰も踏み出したことのない未来社会への道を、ともに開こうではないかということを、訴えたいと思います。

ぜひ若いみなさんが、先頭に立って切り開いてほしい。私たちの世代では、日本の未来社会

――社会主義・共産主義社会までは見ることができないかもしれないけれど、みなさんの世代では、見ることができる可能性は大いにあると思います。ここまで資本主義が行き詰まっているのだから、社会を大本から変えていく変革にまで進む可能性は大いにあります。ぜひ若いみなさんが先頭に立って、誰もまだ踏み出したことのない道に踏み出してほしいということを訴えて、終わりにしたいと思います。

中山　志位さん、35の質問に回答していただき、ありがとうございました。本当に充実した内容で、いままでみんなが思っていた社会主義・共産主義に対する誤解とか不安とか、そういうものもガラリと変えて、とても積極的な内容をもつものとして、イメージできたんじゃないかなと思います。

志位　ありがとうございます。そうなったら、こんなにうれしいことはないです。今日話した話は、難しいこともあったかもしれませんが、この話が、みなさんが学習をすすめる何らかのきっかけになればと願わずにはいられません。

中山　ありがとうございました。

志位　ありがとうございました。

当日寄せられた質問から

当日の質問1
「生産手段の社会化」と協同組合との関係について知りたい

協同組合は「社会化」の一つの形態になりうる

中山　今日寄せられたたくさんの質問が、私の手元にとどいています。そのうち3問について、読み上げて紹介し、志位さんに答えてもらいます。

まず第1問は、「『生産手段の社会化』と協同組合との関係について知りたい」というものです。

志位　「生産手段の社会化」の形態として、協同組合は大いにありうるものだと考えています。とくに農業者とか小規模事業者を協同組合的なものに移行していくことは、みんなでとことん時間をかけて合意することが絶対条件ですが、形態として大いにありうると考えています。

ベトナムは、ドイモイ（刷新）の事業で、「市場経済を通じて社会主義に」ということを大方針にしているわけですが、少し前の時期に、どういう形態で「社会化」をやっているかをいろいろと視察して歩いたことがあるんです。その一つに、協同組合がありました。プラスチック工場だったのですが、組合員の全員の投票で工場長を選ぶ。工場長が適任でないとなったら罷免することもできる。そういう民主的な決定システムがあって、実践されていました。少し前の時期のことで、直近のことはわからないのですが、そういう取り組みをやっていたことは印象深かったです。

協同組合という点では、科学的社会主義の源泉の一つに空想的社会主義という流れがあります。イギリスのロバート・オーエン（1771～1858）は、その代表者の一人で、自分で共産主義的な経営を行い、最初に幼稚園をつくった人でもありました。彼は、協同組合のまさに元祖の一人ともいうべき人物です。今日の日本の農協でも、ロバート・オーエンを思想的源流の一人と位置づけています。「ロバート・オーエンは科学的社会主義の源流でもあるんです」というと、「同じ先祖を持っているのですね」という話にもなる。協同組合は今の日本の社会にもいろいろな形で生きています。

当日の質問2
恐慌を起こさない資本主義がつくられる動きがあると聞きます

「ケインズ主義」が破綻し、資本主義にはもはや指導理論は存在しない

中山 第2問は、「恐慌を起こさないようにする資本主義がつくられる動きがあると聞きました。それでもやはり資本主義はだめなのでしょうか」というものです。

志位 1929年に世界大恐慌が起こりました。この大恐慌を境に、40年以上にわたって資本主義経済の指導理論となったのが「ケインズ主義」と言われる理論です。イギリスの経済学者でジョン・メイナード・ケインズ（1883〜1946）が唱えた理論で、彼は、資本主義は矛盾の多い「好ましくない」経済制度だが、「賢明に管理」されるなら効率の高いものに

なるだろうと主張しました。国家が資本主義体制の全体を代表して、経済の管理にあたる――国の財政をつぎこんで景気を立て直すことをはじめ、国がいろいろな形で経済に「介入」することで、経済を管理し、恐慌をおこさないようにすることができると唱えました。この理論は、第2次世界大戦以後、多くの資本主義国で経済運営の指導理論とされました。

しかし、戦後の時期に、恐慌がなくなったかというとそうはなりませんでした。1974年、オイルショックから始まった世界恐慌が起こりました。日本でもトイレットペーパーがひどい値上がりをしたり、悪徳商社が買い占めしたり、まさにパニックが起こったんです。そういう事実を前にして、「ケインズ主義」では資本主義は管理できないとなっていく。それに代わって、1980年ごろから、「新自由主義」が世界資本主義を席巻します。大企業に対する規制をすべて取り外し、弱肉強食を徹底するという経済理論ですが、その結果が、今私たちが目にしている貧困と格差の途方もない拡大です。「新自由主義」が席巻したのちの資本主義世界でも、2008年のリーマン・ショックに続く世界恐慌というように、恐慌はなくなりませんでした。

恐慌を起こさないための最後の切り札が、実は「ケインズ主義」でした。それが失敗し、もう今の世界資本主義というのは指導理論がないのです。その意味でも、資本主義の矛盾の深まりはたいへんに深刻です。資本主義に代わる新しい社会への構想が、大いに求められる時代になっているのです。

当日の質問3 社会主義・共産主義に到達するために最も必要なものは何でしょうか？

社会を変える国民の多数派を、倦まずたゆまずつくっていくこと

中山 第3問を読み上げます。「人類は存続する限り、必ず社会主義、共産主義に到達するという理解でいいのでしょうか。そうだとしたら、到達するために最も必要なものは何でしょうか。また日本が世界の中でもいち早く、社会主義・共産主義に移行する可能性があると考えていますか？」

志位 この質問はずいぶん考えた質問ですね。まず「人類は存続する限り」とありますね。「人類は存続する限り」、私は、必ず社会主義・共産主義に到達するというふうに確信しています。今日、さまざまな角度からお話ししたように、資本主義が自分の発展のなかで、次の社会

に進む客観的条件と主体的条件の両方をつくりだす。だから必ず新しい社会――未来社会に到達すると考えています。

ただ、到達するには一定の段階が必要です。日本だったら、「アメリカ言いなり」「財界中心」のゆがみをただす民主主義革命をやりとげたうえで先に進むという段階が必要ですけれども、必ず到達するという確信をもっています。

そのうえで、質問された方が、「人類は存続する限り」と書いているのはとても大事で、存続しなくなったら到達できません。気候危機はまさにその危険をはらんでいる。また、世界規模での核戦争が起こったら存続できなくなる。自然災害であるならば、巨大な隕石（いんせき）が落下してきた場合も存続できなくなる。そういうことはないことを願っていますが、そうしたさまざまな危機を打開し、回避して、「人類が存続する限り」、未来社会は現実のものとなると私は確信しています。

「社会主義・共産主義に到達するために最も必要なものは何でしょうか」とあります。一言でいうならば、社会主義・共産主義の目的と理想をみんなのものにして、そのための国民の多数派を倦（う）まずたゆまずつくっていくことにあります。もちろん、さきほどお話ししたように、すぐに社会主義・共産主義に進むというのは、私たちのプログラムではありません。国民多数の合意で、まずはアメリカ・財界中心のゆがんだ政治を変える民主主義革命をやりとげる。それをやりとげたら、これも国民多数の合意で、社会主義・共産主義に進んでいく。社会の発展の法則にのっとって、その法則を実現する多数派をつくるたたかいこそ、社会主義・共産主義に到達するために最も必要なものです。

自然と同じように、人類の社会は発展法則をもっています。ただ自然の法則と違うのは、自然には進まないということです。自然の法則というのは、人間の意思にかかわりなく働きます。明けない夜はなく、必ず、夜明けはやってきます。寝ていても朝になります。しかし社会の法則は、人間がたたかって多数の人々を結集してこそ、はじめて実現するのです。それを推進するのが日本共産党の役割だと思うし、民青同盟のみなさんとも力をあわせて進みたいと思います。

最後に、「日本が世界の中でもいち早く、社会主義・共産主義に移行する可能性があると考えていますか」とあります。

日本共産党についていうと、かつて旧ソ連のスターリン、フルシチョフからひどい干渉を受けました。中国の毛沢東からもひどい干渉を受けました。そういう干渉とたたかって自主独立の立場を確立し、確かなものとしていくとともに、理論の面でも、スターリンに由来する、科学的社会主義とは縁もゆかりもないまがいものの理論――古い、間違った理論をのりこえて、マルクス、エンゲルスの本来の理論を発掘し、現代に生かす探究を続けてきました。今日、お話ししたような未来社会論でも、こういう理論的達成をしている政党は、世界のなかでもたいへん先駆的と言っていいと思います。そういう点では、たたかいの面でも、理論の面でも、新しい道を開拓してきた日本共産党を大きくして、民青同盟を大きくしていけば、日本がいち早く社会主義・共産主義に到達する可能性は大いにあると考えています。一緒にやりましょう。

「なぜ」と問いかけ、みんなで学び、成長する青春を

中山　ありがとうございました。最後に志位さんから、民青同盟への加盟の訴え、メッセージをお願いします。

志位　今日の話を聞いていただいて、民青同盟にまだ参加していない方には、あなたも参加していただきたいということを、心から呼びかけたいと思います。

私自身は１９７３年、大学1年生の時に民青同盟に入り、日本共産党に入党し、半世紀以上やってきました。この間、民青のみなさんが新しい仲間をどんどん増やして前進していることを、一人のＯＢとしても、とてもうれしく思います。

私なりの実感でいいますと、民青同盟は、若者にとって〝三つのかけがえのない魅力〟があると思います。

第一の魅力は、若いみなさんのあらゆる切実な願いにこたえて、その実現のためにともにたたかう組織であるということです。２０２０年5月から、民青のみなさんがはじめた学生向けの食料支援が、47都道府県で３４００回以上、のべ16万人が利用する取り組みに発展している

と聞きました。この運動のなかで、連帯する大切さ、楽しさを実感して、支援されていた学生が、ボランティアとして支援する側になったという出来事もたくさん生まれているとのことです。たいへんにすてきなことだと思います。大軍拡に反対して平和をつくる取り組みで、草の根の青年のネットワークを全国で２００以上つくったとも聞きました。若者憲法集会を大きく成功させようとしていることも頼もしいことです。民青に入って、一人ひとりの切実な願いを一緒に実現する取り組みに参加しようということをまずいいたいと思います。

第二の魅力は、さきほどからお話ししている日本の政治の二つのゆがみ――「アメリカ言いなり」「財界中心」のゆがみをただして、「国民が主人公」の日本をつくることにこそ、青年の願いを実現する道があるということを示して、青年に希望を届けることができる組織が民青同盟だと思います。

今日は、私たちのめざす社会主義・共産主義とはどんな社会なのかを、いきなり話しました。ただ、私たちのプログラムは未来社会にいきなり進もうというようなせっかちなものではありません。まずは国民多数の合意で、「アメリカ言いなり」「財界中心」の政治のゆがみをただす民主主義革命をやる。その次の段階として国民多数の合意で、今日、お話しした社会主義に進もうというのが私たちのプログラムです。この道をぜひ一緒に歩みましょう。民青に入って、新しい日本をつくる主人公として、ともに歩もうということを訴えたいと思います。

第三の魅力――私は、これこそが一番の魅力だと思うのですけど、民青同盟が日本共産党綱領と、今日その一端をお話しした科学的社会主義を学ぶことを、目的に掲げている組織だということです。こういう組織は日本の青年組織のなかで民青しかありません。私は、ここに民青の一番のすてきな魅力があると思います。

私が民青のみなさんの活動を見ていて、素晴らしいと思うのは、「なぜ」と思うことを何でも率直に出し合って、答えをみんなで見つけ出す組織であるということなんです。今日は、35問もの「なぜ」を、民青のみなさんが議論してつくってくれて、私は、ふーふー言いながら答えたのですけれども、世の中には理不尽なことがたくさんあるじゃないですか。その時に、でも、なかなか「なぜ」ということを口に出して言えないということが多くありませんか。理不尽なことがいっぱいある。どうしてこんな理不尽なことが起こっているのか。でも、「なぜ」ということを口に出すのにはなかなか勇気がいります。それから、言う場所がないという悩みもあると思う。そこでモヤモヤしている人も多いのではないでしょうか。民青は「なぜ」と思うことを、みんなが率直に自由に言える場所だと思います。民青の加盟のよびかけ文を読んだら、こう書いてありました。「知識ゼロからでも学びあえるのが自慢です」。「なぜ」と思うことをみんなが自由に口にだして、「知識ゼロ」からでもみんなで学んで、答えを見つけることができる組織が民青ではないでしょうか。ここに私は民青の一番すてきな魅力があると思いいます。

私は、「なぜ」という問いかけは本当に人間にとって大事だと思います。今日は35問の「なぜ」があり、全国からのメールで追加の三つの「なぜ」も寄せられましたけれども、「なぜ」と問うことは、すでに半分、答えをみつけたことになると思うのです。問題をたてるということはそれ自体が、答えに向かっての大きな前進になると思います。

理不尽なことを見逃さないで、みんなで「なぜ」と問いかけよう。そして学ぶことを通じて社会の仕組みを知って、社会の発展の法則をつかむ楽しさをみんなでつかもう。そしてその法則を前に進めるためにみんなで力を合わせよう。私は、これこそ一番人間らしい生き方だと思います。

どうか民青同盟にまだ参加されていない方は、今日を機会に参加していただきたいと思います。それから、まだ日本共産党に入っていない方は、日本共産党を大きくすることが日本と世界を良くする一番の力になるし、民青を大きくする力にもなります。ぜひ日本共産党に入党していただきたいと訴えます。

今日は、「自由な時間」を得て、自分の可能性を生かして、自由な成長をしようという話をしました。マルクスが高校生の時に書いた論文があります。「職業選択に関する一青年の考察」という論文です。この論文は人間にとっての本当の幸福とは何だろうかと問いかけています。若きマルクスが出した答えは、「最大多数の人を幸せにした人が最も幸せな人である」というものでした。そしてそのなかでこそ、「人格の完成」が得られると言っています。

今日は、人間としてどう成長するかが主題だったと思います。そのために、「自由に処分できる時間」を取り戻し、拡大しよう――これがキーワードでした。

他の人の幸福のために自分の人生を重ね合わせていく、そのなかに自分の幸福を見いだす生き方を、マルクスの若い時期の言葉を励ましに、選びとっていただきたい。

そういう努力のなかでこそ、一人ひとりの「自由で全面的な発展」を実現することができる。そのことを訴えて終わりにしたいと思います。

志位　和夫（しい　かずお）
1954年　千葉県生まれ
1979年　東京大学工学部物理工学科卒業
現在　日本共産党中央委員会議長、衆議院議員
著書　『ネオ・マルクス主義――研究と批判』（共著、1989年）、『ネオ・マルクス主義――研究と批判２』（共著、1991年）、『激動する世界と科学的社会主義』（1991年）、『科学的社会主義とは何か』（1992年）、『歴史の促進者として』（1992年）、『21世紀をめざして』（1995年）、『科学・人生・生きがい』（1997年）、『"自共対決"』（1998年）、『民主日本への提案』（2000年）、『歴史の激動ときりむすんで』（2002年）、『希望ある流れと日本共産党』（2003年）、『教育基本法改定のどこが問題か』（2006年）、『韓国・パキスタンを訪問して』（2006年）、『日本共産党とはどんな党か』（2007年）、『ベトナム友好と連帯の旅』（2007年）、『決定的場面と日本共産党』（2008年）、『人間らしい労働を』（2009年）、『アメリカを訪問して』（2010年）、『新たな躍進の時代をめざして』（2012年）、『領土問題をどう解決するか』（2012年）、『綱領教室』〔第１～３巻〕（2013年）、『戦争か平和か』（2014年）、『改定綱領が開いた「新たな視野」』（2020年）、『新・綱領教室』〔上・下〕（2022年）、『日本共産党の百年を語る』（2024年）

Q&A　共産主義と自由――『資本論』を導きに

2024年７月15日　初　版
2024年10月10日　第８刷

著　者　志　位　和　夫
発行者　角　田　真　己

郵便番号　151-0051　東京都渋谷区千駄ヶ谷 4-25-6
発行所　株式会社　新日本出版社
電話　03（3423）8402（営業）
03（3423）9323（編集）
info@shinnihon-net.co.jp
www.shinnihon-net.co.jp
振替番号　00130-0-13681
印刷・製本　光陽メディア

落丁・乱丁がありましたらおとりかえいたします。

ISBN978-4-406-06810-9 C0031　Printed in Japan